The Great I

The Great Demon King

A Story in Simplified Chinese and Pinyin,
1800 Word Vocabulary Level

Book 16 of the *Journey to the West* Series

Written by Jeff Pepper
Chinese Translation by Xiao Hui Wang

Based on chapters 47 through 49 of the original
Chinese novel *Journey to the West* by Wu Cheng'en

IMAGIN8
PRESS

Published in the United States by Imagin8 Press LLC, Verona, Pennsylvania, US. For information, contact us via email at info@imagin8press.com, or visit www.imagin8press.com.

Our books may be purchased directly in quantity at a reduced price, contact us for details.

Imagin8 Press, the Imagin8 logo and the sail image are all trademarks of Imagin8 Press LLC.

Written by Jeff Pepper
Chinese translation by Xiao Hui Wang
Cover design by Katelyn Pepper and Jeff Pepper
Book design by Jeff Pepper
Artwork by Next Mars Media, Luoyang, China
Audiobook narration by Junyou Chen

Based on the original 14ᵗʰ century Chinese novel by Wu Cheng'en, and the unabridged translation by Anthony C. Yu.

ISBN: 978- 9781952601606
Version 03

Acknowledgements

We are deeply indebted to the late Anthony C. Yu for his incredible four-volume translation, *The Journey to the West* (1983, revised 2012, University of Chicago Press). Many thanks to the team at Next Mars Media for their terrific illustrations, and Junyou Chen for narrating the audiobook.

Audiobook

A complete Chinese language audio version of this book is available free of charge. To access it, go to YouTube.com and search for the Imagin8 Press channel. There you will find free audiobooks for this and all the other books in this series.

You can also visit our website, www.imagin8press.com, to find a direct link to the YouTube audiobook, as well as information about our other books.

Preface

Here's a summary of the events of the first 15 books in the Journey to the West *series. The numbers in brackets indicate in which book in the series the events occur.*

Thousands of years ago, in a magical version of ancient China, a small stone monkey is born on Flower Fruit Mountain. Hatched from a stone egg, he spends his early years playing with other monkeys. They follow a stream to its source and discover a secret room behind a waterfall. This becomes their home, and the stone monkey becomes their king. After several years the stone monkey begins to worry about the impermanence of life. One of his companions tells him that certain great sages are exempt from the wheel of life and death. The monkey goes in search of these great sages, meets one and studies with him, and receives the name Sun Wukong. He develops remarkable magical powers, and when he returns to Flower Fruit Mountain he uses these powers to save his troop of monkeys from a ravenous monster. *[Book 1]*

With his powers and his confidence increasing, Sun Wukong manages to offend the underwater Dragon King, the Dragon King's mother, all ten Kings of the Underworld, and the great Jade Emperor himself. Finally, goaded by a couple of troublemaking demons, he goes too far, calling himself the Great Sage Equal to Heaven and sets events in motion that cause him some serious trouble. *[Book 2]*

Trying to keep Sun Wukong out of trouble, the Jade Emperor gives him a job in heaven taking care of his Garden of Immortal Peaches, but the monkey cannot stop himself from eating all the peaches. He impersonates a great Immortal and crashes a party in Heaven, stealing the guests' food and drink and barely escaping to his loyal troop of monkeys back on

Earth. In the end he battles an entire army of Immortals and men, and discovers that even calling himself the Great Sage Equal to Heaven does not make him equal to everyone in Heaven. As punishment, the Buddha himself imprisons him under a mountain. *[Book 3]*

Five hundred years later, the Buddha decides it is time to bring his wisdom to China, and he needs someone to lead the journey. A young couple undergo a terrible ordeal around the time of the birth of their child Xuanzang. The boy grows up as an orphan but at age eighteen he learns his true identity, avenges the death of his father and is reunited with his mother. Xuanzang will later fulfill the Buddha's wish and lead the journey to the west. *[Book 4]*

Another storyline starts innocently enough, with two good friends chatting as they walk home after eating and drinking at a local inn. One of the men, a fisherman, tells his friend about a fortuneteller who advises him on where to find fish. This seemingly harmless conversation between two minor characters triggers a series of events that eventually cost the life of a supposedly immortal being, and cause the great Tang Emperor himself to be dragged down to the underworld. He is released by the Ten Kings of the Underworld, but is trapped in hell and only escapes with the help of a deceased courtier. *[Book 5]*

Barely making it back to the land of the living, the Emperor selects the young monk Xuanzang to undertake the journey, after being strongly influenced by the great bodhisattva Guanyin. The young monk sets out on his journey. After many difficulties his path crosses that of Sun Wukong, and the monk releases him from his prison under a mountain. Sun Wukong becomes the monk's first disciple. *[Book 6]*

As their journey gets underway, they encounter a mysterious

river-dwelling dragon, then run into serious trouble while staying in the temple of a 270 year old abbot. Their troubles deepen when they meet the abbot's friend, a terrifying black bear monster, and Sun Wukong must defend his master. *[Book 7]*

The monk, now called Tangseng, acquires two more disciples. The first is the pig-man Zhu Bajie, the embodiment of stupidity, laziness, lust and greed. In his previous life, Zhu was the Marshal of the Heavenly Reeds, responsible for the Jade Emperor's entire navy and 80,000 sailors. Unable to control his appetites, he got drunk at a festival and attempted to seduce the Goddess of the Moon. The Jade Emperor banished him to earth, but as he plunged from heaven to earth he ended up in the womb of a sow and was reborn as a man-eating pig monster. He was married to a farmer's daughter, but fights with Sun Wukong and ends up joining and becoming the monk's second disciple. *[Book 8]*

Sha Wujing was once the Curtain Raising Captain but was banished from heaven by the Yellow Emperor for breaking an extremely valuable cup during a drunken visit to the Peach Festival. The travelers meet Sha and he joins them as Tangseng's third and final disciple. The four pilgrims arrive at a beautiful home seeking a simple vegetarian meal and a place to stay for the night. What they encounter instead is a lovely and wealthy widow and her three even more lovely daughters. This meeting is, of course, much more than it appears to be, and it turns into a test of commitment and virtue for all of the pilgrims, especially for the lazy and lustful pig-man Zhu Bajie. *[Book 9]*

Heaven continues to put more obstacles in their path. They arrive at a secluded mountain monastery which turns out to be the home of a powerful master Zhenyuan and an ancient and magical ginseng tree. As usual, the travelers' search for a nice hot meal and a place to sleep quickly turns into a disaster. Zhenyuan has gone away for a few days and has left his two youngest disciples in charge. They welcome the travelers, but soon there are misunderstandings, arguments, battles in the sky, and before long the travelers are facing a powerful and extremely angry adversary, as well as mysterious magic fruits and a large frying pan full of hot oil. *[Book 10]*

Next, Tangseng and his band of disciples come upon a strange pagoda in a mountain forest. Inside they discover the fearsome Yellow Robed Monster who is living a quiet life with his wife and their two children. Unfortunately the monster has a bad habit of ambushing and eating travelers. The travelers find themselves drawn into a story of timeless love and complex lies as they battle for survival against the monster and his allies. *[Book 11]*

The travelers arrive at Level Top Mountain and encounter their most powerful adversaries yet: Great King Golden Horn and his younger brother Great King Silver Horn. These two monsters, assisted by their elderly mother and hundreds of well-armed demons, attempt to capture and liquefy Sun Wukong, and eat the Tang monk and his other disciples. Led by Sun Wukong, the travelers desperately battle their foes through a combination of trickery, deception and magic, and barely survive the encounter. *[Book 12]*

The monk and his disciples resume their journey. They stop to rest at a mountain monastery in Black Rooster Kingdom, and Tangseng is visited in a dream by someone claiming to be the ghost of a murdered king. The ghost claims that the king sitting on the throne is really an evil demon. Is he telling the truth or is he actually a demon in disguise? Sun Wukong offers to go to the king's palace and sort things out with his iron rod.

But things do not go as planned. *[Book 13]*

While traveling the Silk Road, Tangseng and his three disciples encounter a young boy hanging upside down from a tree. They rescue him only to discover that he is really Red Boy, a powerful and malevolent demon and, it turns out, Sun Wukong's nephew. Ignoring this family relationship, the demon kidnaps Tangseng and plans to eat him. The three disciples battle the demon but soon discover that he can produce deadly fire and smoke which nearly kills Sun Wukong. The two remaining disciples struggle to save Sun Wukong and Tangseng, enlisting the aid of several supernatural beings including Guanyin, the Goddess of Mercy. At the end, they learn Red Boy's true nature. *[Book 14]*

Leaving Red Boy with the bodhisattva Guanyin, the travelers continue to the wild country west of China. They arrive at a strange city where Daoism is revered and Buddhism is forbidden. The few remaining Buddhist monks are enslaved, but every night they receive a dream message that the Great Sage Equal to Heaven will come to save them. This of course is the Monkey King Sun Wukong, the eldest disciple. Sun Wukong gleefully causes trouble in the city, and finds himself in a series of deadly competitions with three Daoist Immortals. *[Book 15]*

Continuing westward, the travelers find their way blocked by a wide river...

The Great Demon King

大魔王

Dì 47 Zhāng

Qīn'ài de háizi, zuótiān wǎnshàng wǒ gěi nǐ jiǎng le sì gè xíngrén de gùshì, shèng sēng Tángsēng, hóu wáng Sūn Wùkōng, zhū rén Zhū Bājiè hé qiángdà dàn ānjìng de Shā Wùjìng. Tāmen jiù le Chē Chí Wángguó de rénmen. Děng tāmen jiéshù hòu, Chē Chí Wángguó de guówáng gěi tāmen jǔxíng le yígè yànhuì, gǎnxiè tāmen.

Dì èr tiān zǎoshàng, tāmen jìxù xiàng xī zǒu. Tāmen kǒu kě le jiù hē, è le jiù chī, lèi le jiù xiūxi. Chūntiān biàn chéng xiàtiān, xiàtiān biàn chéng qiūtiān. Zǎoqiū de yìtiān, liáng fēng chuīguò shùlín, Tángsēng hé túdìmen shuōhuà. Tā shuō, "Shíjiān bù zǎo le. Jīntiān wǎnshàng wǒmen zài nǎlǐ kěyǐ zhǎodào yígè dìfāng shuìjiào?"

Sūn Wùkōng shuō, "Shīfu, wǒmen hěn jiǔ yǐqián jiù líkāi le jiā. Wǒmen méiyǒu shūfú de chuáng, wǒmen méiyǒu qīzi zài wǎnshàng gěi wǒmen wēnnuǎn, wǒmen méiyǒu háizi gěi wǒmen dài lái kuàilè. Wǒmen shēnghuó zài tàiyáng, yuèliang hé xīngxīng zhī xià. Rúguǒ yǒu lù, wǒmen jiù zǒu. Rúguǒ lù jiéshù le, wǒmen jiù tíng xià

第 47 章

亲爱的孩子，昨天晚上我给你讲了四个行人的故事，圣僧<u>唐僧</u>、猴王<u>孙悟空</u>、猪人<u>猪八戒</u>和强大但安静的<u>沙悟净</u>。他们救了<u>车迟</u>王国的人们。等他们结束后，<u>车迟</u>王国的国王给他们举行了一个宴会，感谢他们。

第二天早上，他们继续向西走。他们口渴了就喝，饿了就吃，累了就休息。春天变成夏天，夏天变成秋天。早秋的一天，凉[1]风吹过树林，<u>唐僧</u>和徒弟们说话。他说，"时间不早了。今天晚上我们在哪里可以找到一个地方睡觉？"

<u>孙悟空</u>说，"师父，我们很久以前就离开了家。我们没有舒服的床，我们没有妻子在晚上给我们温暖，我们没有孩子给我们带来快乐。我们生活在太阳、月亮和星星之下。如果有路，我们就走。如果路结束了，我们就停下

---

[1]凉   liáng - cool

lái."

"Nǐ shuō dé róngyì!" Zhū rén Zhū Bājiè shuō. "Wǒ yìtiān dōu názhe nǐmen hěn zhòng de xínglǐ. Wǒ lèi le, wǒ è le, wǒ de jiǎo tòng le, wǒ xiànzài jiù xiǎng tíng xiàlái!"

"Jīntiān wǎnshàng de yuèliang hěn liàng. Wǒmen zài zǒu yìdiǎn ba," Sūn Wùkōng shuō. Qítā rén yě méiyǒu hé tā zhēnglùn, zhǐshì gēn zài tā shēnhòu.

Zhè tiáo lù zài yìtiáo dàhé qián jiéshù le. Tāmen kàn bú dào yuǎn chǔ de lìng yìbiān. Sūn Wùkōng yòng tā de jīndǒu yún tiào dào tiānkōng zhōng. Tā yòng tā de zuànshí yǎnjīng kàn, dànshì kàn bú dào hé yuǎn chǔ de nà yìbiān. "Zhè tiáo hé hěn kuān," tā shuō. "Wǒ báitiān kěyǐ kàn dào yìqiān lǐ wài, wǎnshàng kěyǐ kàn dào wǔbǎi lǐ wài, dàn wǒ kàn bú dào zhè tiáo hé yuǎn chǔ de nà yìbiān. Wǒ bù zhīdào wǒmen zěnyàng cáinéng dào yuǎn chǔ de nà yìbiān."

Tángsēng méiyǒu shuōhuà, tā kāishǐ qīng qīng de kū le qǐlái.

"Bié kū le, shīfu," Shā shuō. "Wǒ kàn dào nà biān yǒu yí gè rén, zhàn zài shuǐ biān. Tā kěnéng kěyǐ bāngzhù wǒmen." Sūn

来。"

"你说得容易！"猪人猪八戒说。"我一天都拿着你们很重的行李。我累了，我饿了，我的脚痛了，我现在就想停下来！"

"今天晚上的月亮很亮。我们再走一点吧，"孙悟空说。其他人也没有和他争论，只是跟在他身后。

这条路在一条大河前结束了。他们看不到远处的另一边。孙悟空用他的筋斗云跳到天空中。他用他的钻石眼睛看，但是看不到河远处的那一边。"这条河很宽，"他说。"我白天可以看到一千里外，晚上可以看到五百里外，但我看不到这条河远处的那一边。我不知道我们怎样才能到远处的那一边。"

唐僧没有说话，他开始轻轻的哭了起来。

"别哭了，师父，"沙说。"我看到那边有一个人，站在水边。他可能可以帮助我们。"孙

Wùkōng zǒu guòqù kàn. Zǒu jìn yí kàn, tā kàn dào nà búshì rén, nà shì yì gēn gāodà de shí zhùzi. Shí zhùzi shàng xiě zhe sān gè dàzì: "Tōng Tiān Hé." Xiàmiàn shì xiǎo yìdiǎn de zì:

Bābǎi lǐ kuān

Shǎoyǒu rén néng guò

Sì gè xíngrén dú le zhèxiē huà, dàn shénme yě méi shuō. Sūn Wùkōng, Zhū hé Shā kěyǐ hěn róngyì de fēiguò hé, dàn Tángsēng méiyǒu mólì, bùnéng fēi. Tāmen zěnme cái kěyǐ dōu cóng zhè tiáo hé guòqù ne?

Ránhòu tāmen tīng dào le cóng héshang yì lǐ zuǒyòu de dìfāng chuán lái de yīnyuè shēng. "Nà yīnyuè tīng qǐlái bú xiàng shì dàojiā de yīnyuè," Tángsēng shuō. "Kěnéng shì fójiào de. Wǒ yào guòqù hé tāmen tán tán. Wǒ huì xiàng tāmen yào yìxiē sùshí hé yígè wǒmen shuìjiào de dìfāng. Nǐmen děng zài zhèlǐ. Nǐmen dōu hěn chǒu, wǒ bùxiǎng xià zhèxiē rén."

Tángsēng yán hé'àn qízhe tā de báimǎ. Tā lái dào le yízuò dàsì

悟空走过去看。走近一看，他看到那不是人，那是一根高大的石柱子。石柱子上写着三个大字："通天河。"下面是小一点的字：

八百里宽

少有人能过

四个行人读了这些话，但什么也没说。孙悟空、猪和沙可以很容易地飞过河，但唐僧没有魔力，不能飞。他们怎么才可以都从这条河过去呢？

然后他们听到了从河上一里左右的地方传来的音乐声。"那音乐听起来不像是道家的音乐，"唐僧说。"可能是佛教的。我要过去和他们谈谈。我会向他们要一些素食和一个我们睡觉的地方。你们等在这里。你们都很丑，我不想吓这些人。"

唐僧沿河岸骑着他的白马。他来到了一座大寺

miào. Měi gè chuānghù shàng dōu diǎnzhe làzhú, zài lǐmiàn diǎnzhe gèng duō de làzhú. Tā zhāi xià tā de màozi, zài qiánménwài děngzhe. Jǐ fēnzhōng hòu, yígè lǎorén zǒu le chūlái.

Tángsēng jūgōng shuō, "Yéye, zhège kělián de héshang xiàng nín wènhǎo."

Nà rén shuō, "Nǐ lái wǎn le. Rúguǒ nǐ zǎo yìdiǎn dào, nǐ huì dédào yìxiē mǐ, yìxiē bù hé yìdiǎndiǎn qián. Xiànzài nǐ shénme yě dé bú dào. Zǒu ba." Tā zhuǎnshēn zǒu huí sìmiào lǐ.

Tángsēng mǎshàng shuō, "Yéye, qǐng děng yíxià. Wǒmen shì bèi Táng huángdì sòng wǎng xītiān. Wǒmen qù zhǎo fó shèng shū dài huí Táng dìguó. Kuàiyào wǎnshàng le, wǒmen zhǐ xiǎng zhǎo ge dìfāng guòyè. Wǒmen zǎoshàng huì líkāi."

"Héshang, yígè líkāi jiā de nánrén, bù yīng gāi shuōhuǎng huà. Táng dìguó zài dōngbian de wǔ wàn sìqiān lǐ wài. Yígè rén xíngzǒu, nǐ bù kěnéng lái dào zhèlǐ."

"Nà shì zhēn de. Wǒ shēnbiān yǒu sān gè túdì. Tāmen fēicháng néng

庙。每个窗户上都点着蜡烛[2]，在里面点着更多的蜡烛。他摘下他的帽子，在前门外等着。几分钟后，一个老人走了出来。

唐僧鞠躬说，"爷爷，这个可怜的和尚向您问好。"

那人说，"你来晚了。如果你早一点到，你会得到一些米、一些布和一点点钱。现在你什么也得不到。走吧。"他转身走回寺庙里。

唐僧马上说，"爷爷，请等一下。我们是被唐皇帝送往西天。我们去找佛圣书带回唐帝国。快要晚上了，我们只想找个地方过夜。我们早上会离开。"

"和尚，一个离开家的男人，不应该说谎话。唐帝国在东边的五万四千里外。一个人行走，你不可能来到这里。"

"那是真的。我身边有三个徒弟。他们非常能

---

[2] 蜡烛　　　làzhú - candle

hé yāoguài, móguǐ, lǎohǔ zhàndòu. Dàn tāmen yǒudiǎn chǒu. Wǒ méiyǒu bǎ tāmen dài dào zhèlǐ, yīnwèi wǒ bùxiǎng xià nín."

"Jīntiān wǎnshàng nǐ xiàbúdǎo wǒ," lǎorén shuō. "Dài tāmen jìnlái." Tángsēng bù míngbai zhè yìdiǎn, dànshì bǎ sān gè túdì jiào le guòlái. Sūn Wùkōng, Zhū, Shā xiàozhe jiàozhe pǎo jìn sìmiào. Tāmen dài le mǎ hé xínglǐ. Lǎorén dǎo zài dìshàng, jiàozhe, "Yāoguài láile! Yāoguài láile!"

"Yéye, bié pà," Tángsēng shuō, "Tāmen bú huì shānghài nín de." Ránhòu tā zhuǎnxiàng sān gè túdì, duì tāmen hǎn dào, "nǐmen zěnme zhème cūlǔ? Wǒ měitiān dōu gàosù nǐmen yào xiàng fójiào héshang yíyàng zuòshì, dànshì nǐmen jiù xiàng huāngyě lǐ de dòngwù yíyàng!"

Lǎorén tīng le. Tā kàn xiàng Sūn Wùkōng, Zhū hé Shā, jiàn tāmen dōu méiyǒu huídá. Zhè cái míngbái, zhè sān rén zhēn de shì héshang de túdì, búshì yāoguài. Tā ràng tā de púrén gěi zhè sì gè xíngrén ná lái shíwù. Púrénmen fēicháng hàipà. Tāmen ná lái le shíwù, ránhòu fēikuài de pǎo chū le fángjiān.

和妖怪，魔鬼、老虎战斗。但他们有点丑。我没有把他们带到这里，因为我不想吓您。"

"今天晚上你吓不到我，"老人说。"带他们进来。"唐僧不明白这一点，但是把三个徒弟叫了过来。孙悟空、猪、沙笑着叫着跑进寺庙。他们带了马和行李。老人倒在地上，叫着，"妖怪来了！妖怪来了！"

"爷爷，别怕，"唐僧说，"他们不会伤害您的。"然后他转向三个徒弟，对他们喊道，"你们怎么这么粗鲁？我每天都告诉你们要像佛教和尚一样做事，但是你们就像荒野里的动物一样！"

老人听了。他看向孙悟空、猪和沙，见他们都没有回答。这才明白，这三人真的是和尚的徒弟，不是妖怪。他让他的仆人给这四个行人拿来食物。仆人们非常害怕。他们拿来了食物，然后飞快地跑出了房间。

Lǎorén jièshào le tā zìjǐ, tā jiào Chén Chéng. Tā hé sì gè xíngrén zuò xiàlái chī wǎnfàn. Ránhòu mén dǎkāi le, lìng yígè lǎorén zǒu jìn le fángjiān. Tā yòng guǎizhàng zǒulù. Tā duì tāmen shuō, "Nǐmen shì shénme móguǐ? Nǐmen wèishénme bànyè dào wǒmen jiā lái xià wǒmen suǒyǒu de púrén?"

Chén Chéng duì xíngrén shuō, "Péngyǒumen, zhè shì wǒ de gēge, Chén Qīng." Tā zhuǎnxiàng tā de gēge shuō, "Gēge, qǐng búyào dānxīn. Zhè héshang shì cóng Táng dìguó lái de. Tā zhèng dàizhe tā de sān gè túdì qù xīfāng." Dì èr gè rén diǎn le diǎn tóu. Tā jiào púrén bānchū jǐ zhāng ǎi zhuō. Tángsēng zuò zài le fángjiān zhōngjiān de róngyù zuòwèi shàng. Yìbiān, sān zhāng zhuōzi gěi le Sūn Wùkōng, Zhū hé Shā. Lìng yìbiān, liǎng zhāng zhuōzi gěi le liǎng gè lǎorén. Púrénmen ná chū le shuǐguǒ, shūcài, mǐfàn, miàntiáo hé bāozi. Qízhōng yígè púrén bǎ mǎ dài dào wàimiàn, gěi le tā yìxiē cǎo chī.

Shíwù bèi fàngxià hòu, Tángsēng ná qǐ kuàizi, kāishǐ niàn "Qǐ Zhāi Jīng". Kě hái méi děng tā niàn wán, Zhū jiù ná qǐ yí dà wǎn fàn, bǎ fàn dōu dào jìn tā de zuǐ lǐ. Yígè púrén pǎo guòlái, yòu zài wǎn lǐ fàng mǎn le fàn. Tángsēng jìxù niànjīng, Zhū yòu chī le yì wǎn

老人介绍了他自己，他叫陈澄。他和四个行人坐下来吃晚饭。然后门打开了，另一个老人走进了房间。他用拐杖走路。他对他们说，"你们是什么魔鬼？你们为什么半夜到我们家来吓我们所有的仆人？"

陈澄对行人说，"朋友们，这是我的哥哥，陈清。"他转向他的哥哥说，"哥哥，请不要担心。这和尚是从唐帝国来的。他正带着他的三个徒弟去西方。"第二个人点了点头。他叫仆人搬出几张矮桌。唐僧坐在了房间中间的荣誉坐位上。一边，三张桌子给了孙悟空、猪和沙。另一边，两张桌子给了两个老人。仆人们拿出了水果、蔬菜、米饭、面条和包子。其中一个仆人把马带到外面，给了它一些草吃。

食物被放下后，唐僧拿起筷子，开始念《启斋经》。可还没等他念完，猪就拿起一大碗饭，把饭都倒进他的嘴里。一个仆人跑过来，又在碗里放满了饭。唐僧继续念经，猪又吃了一碗

fàn. Ránhòu yì wǎn yòu yì wǎn. Zài Tángsēng niàn wán jīng yǐqián, tā yǐjīng chī wán le liù wǎn fàn.

Wǎn fàn hòu, Tángsēng wèn, "Zūnjìng de yéye, qǐng gàosù wǒ, wǒmen dào de shíhòu, nǐmen zài jǔxíng shénme yànhuì? Wǒ méiyǒu tīng chū shì shénme yīnyuè." Chéng huídá shuō, "Zhè shì wèi sǐrén zuò de yùxiān fǎshì."

Zhū xiào dé zuǐ lǐ dōu tǔ chū fàn lái le. "Yéye, dāng yǒurén zài shuōhuǎng shí, wǒmen shì zhīdào de. Méiyǒu wèi sǐrén zuò de yùxiān fǎshì. Yǒushí huì wèi sǐrén jǔxíng fǎshì, dàn nà shì zài tāmen sǐ hòu. Wǒmen méiyǒu zài zhèlǐ kàn dào rènhé sǐrén!"

Chéng huídá shuō, "Gàosù wǒ, nǐmen zhèxiē yóurén. Dāng nǐmen dào hé biān shí, nǐmen kàn dào le shénme?"

"Wǒmen kàn dào le yì gēn xiězhe zì de shí zhùzi." Sūn Wùkōng shuō. "Yīnwèi zhè tiáo hé, wǒmen bùnéng zǒu dé gèng yuǎn. Suǒyǐ wǒmen zhuǎnshēn lái dào le nǐ de sìmiào."

饭。然后一碗又一碗。在唐僧念完经以前，他已经吃完了六碗饭。

晚饭后，唐僧问，"尊敬的爷爷，请告诉我，我们到的时候，你们在举行什么宴会？我没有听出是什么音乐。"澄回答说，"这是为死人做的预先³法事⁴。"

猪笑得嘴里都吐出饭来了。"爷爷，当有人在说谎时，我们是知道的。没有为死人做的预先法事。有时会为死人举行法事，但那是在他们死后。我们没有在这里看到任何死人！"

澄回答说，"告诉我，你们这些游人。当你们到河边时，你们看到了什么？"

"我们看到了一根写着字的石柱子。"孙悟空说。"因为这条河，我们不能走得更远。所以我们转身来到了你的寺庙。"

---

³ 预先　　yùxiān – advance, prepare
⁴ 法事　　fǎshì – memorial service, mass

"Rúguǒ nǐ wǎng lìng yígè fāngxiàng zǒu yì lǐ lù, nǐ jiù huì lái dào Línggǎn Dàwáng miào."

"Wǒmen méiyǒu kàn dào. Gàosù wǒmen, zhè wèi Línggǎn Dàwáng shì shuí?"

"Zhè wèi dàwáng bǎ zhùfú sòng gěi yuǎnjìn suǒyǒu de rén. Tā měi gè yuè dōu sòng lái gān yǔ, yì nián yòu yì nián sòng lái jíxiáng de yún." Ránhòu tā kāishǐ kū le.

"Zhè tīng qǐlái bú cuò," Sūn Wùkōng shuō. "Nǐ wèishénme kū?"

"Zhèxiē zhùfú shì yǒu dàijià de. Dàwáng ài chī niánqīng de nánhái hé nǚhái, dāngrán hái yǒu niú, zhū hé jī. Měinián tā dōuhuì xuǎn yígè jiātíng. Zhège jiātíng bìxū gěi tā yígè nánhái hé yígè nǚhái. Dàwáng chī tāmen."

"Suǒyǐ, nǐ jiā jīnnián yào gěi dàwáng sòng háizi?" Sūn Wùkōng

"如果你往另一个方向走一里路，你就会来到灵感大王庙。"

"我们没有看到。告诉我们，这位灵感大王是谁？"

"这位大王把祝福[5]送给远近所有的人。他每个月都送来甘[6]雨，一年又一年送来吉祥[7]的云。"然后他开始哭了。

"这听起来不错，"孙悟空说。"你为什么哭？"

"这些祝福是有代价[8]的。大王爱吃年轻的男孩和女孩，当然还有牛、猪和鸡。每年他都会选一个家庭[9]。这个家庭必须给他一个男孩和一个女孩。大王吃他们。"

"所以，你家今年要给大王送孩子？"孙悟空

---

[5] 祝福　　zhùfú – blessing
[6] 甘　　　gān – sweet
[7] 吉祥　　jíxiáng – auspicious
[8] 代价　　dàijià – cost
[9] 家庭　　jiātíng - family

wèn.

"Shì de, jīnnián shì wǒjiā. Wǒ shì yígè lǎorén. Duōnián lái, wǒ méiyǒu háizi. Wǒ bǎ wǒ suǒyǒu de qián dōu gěi cūnlǐ xiū lù hé xiū qiáo. Wǒ yígòng gěi le tāmen sānshí jīn jīnzi. Sānshí jīn shì yí chèng. Suǒyǐ dāng wǒ de nǚ'ér zhōngyú zài bā nián qián chūshēng shí, wǒ jiào tā Yí Chèng Jīn."

"Nà xiǎo nánhái ne?"

Chén Qīng kāikǒu shuō, "Wǒmen liǎng gè shì xiōngdì. Yīnwèi wǒ dìdi méiyǒu érzi, dàwáng jiù yào chī wǒ de érzi. Tā jiào Guānbǎo. Wǒ hé wǒ dìdi jiā qǐlái yígòng huó le yìbǎi èrshí nián. Wǒmen zhǐyǒu zhè liǎng gè háizi. Yīn wèi dàwáng, tāmen hěn kuài jiù huì sǐ!" Tā kāishǐ kū le. "Wǒmen bùnéng duì dàwáng shuō bù, dàn wǒmen hěn nán fàngqì wǒmen de bǎobèi háizi."

Tángsēng yě kū le qǐlái, shuō, "A, shàngtiān duì méiyǒu háizi

问。

"是的，今年是我家。我是一个老人。多年来，我没有孩子。我把我所有的钱都给村里修路和修桥。我一共给了他们三十斤金子。三十斤是一秤。所以当我的女儿终于在八年前出生时，我叫她一秤金。"

"那小男孩呢？"

陈清开口说，"我们两个是兄弟。因为我弟弟没有儿子，大王就要吃我的儿子。他叫关保[10]。我和我弟弟加起来一共活了一百二十年。我们只有这两个孩子。因为大王，他们很快就会死！"他开始哭了。"我们不能对大王说不，但我们很难放弃我们的宝贝孩子。"

唐僧也哭了起来，说，"啊，上天对没有孩子

---

[10] This name means "blessed by Guan," and refers to the warrior Guan Yu in *The Three Kingdoms*.

de rén tài cánrěn le!"

Sūn Wùkōng zhǐshì shuō, "Lǎorén, nǐ yǒu duōshǎo qián?"

Qīng huídá shuō, "Hěn yǒu qián. Wǒ hé wǒ dìdi yǒu hěn dà yípiàn nóngtián. Wǒmen yǒu hěnduō mǎ, zhū, yáng, jī hé é. Wǒmen hái yǒu jīn hé yín. Nǐ wèishénme yào wèn?"

"Rúguǒ nǐ yǒu zhème duō qián, wèishénme bù mǎi yígè nánhái hé yígè nǚhái ne? Wǒ tīng shuō nǐ kěyǐ yòng yìbǎi wǔshí liǎng de yínzi mǎi dào liǎng gè háizi."

"Nà bùxíng. Dàwáng jīngcháng lái kàn wǒmen. Wǒmen kàn bú jiàn tā, dàn dāng tā zǒu guòshí, wǒmen néng gǎnjuédào lěngfēng. Tā rènshí cūnlǐ de měi yígè rén. Tā rènshí wǒ érzi, yě rènshí wǒ dìdi de nǚ'ér. Wǒmen mǎibúdào yígè niánlíng hé yàng zǐ xiāngtóng de nánhái hé nǚhái."

Sūn Wùkōng diǎn le diǎn tóu. "Wǒ míngbái le. Wǒ yǒu gè zhǔyì. Qǐng bǎ nǐ érzi jiào chūlái." Lǎorén jiào le yìshēng, Guānbǎo jìn

的人太残忍[11]了！"

孙悟空只是说，"老人，你有多少钱？"

清回答说，"很有钱。我和我弟弟有很大一片
农田。我们有很多马、猪、羊、鸡和鹅[12]。我们
还有金和银。你为什么要问？"

"如果你有这么多钱，为什么不买一个男孩和
一个女孩呢？我听说你可以用一百五十两的银
子买到两个孩子。"

"那不行。大王经常来看我们。我们看不见
他，但当他走过时，我们能感觉到冷风。他认
识村里的每一个人。他认识我儿子，也认识我
弟弟的女儿。我们买不到一个年龄和样子相同
的男孩和女孩。"

孙悟空点了点头。"我明白了。我有个主意。
请把你儿子叫出来。"老人叫了一声，关保进

---

11 残忍   cánrěn – cruel
12 鹅   é – goose

le fángjiān. Tā shì yígè kuàilè de xiǎo nánhái, yòu shì tiàowǔ yòu shì xiào. Sūn Wùkōng bǎ shēntǐ yáo le yíxià, mǎshàng tā kàn qǐlái jiù hé Guānbǎo yíyàng. Xiànzài fángjiān lǐ yǒu liǎng gè kuàilè de xiǎo nánhái. Liǎng rén yòu shì tiàowǔ yòu shì xiào.

Lǎorén zhāngdà le zuǐ. Tā bù gǎn xiāngxìn tā kàn dào de. Sūn Wùkōng bǎ shēntǐ yáo le yíxià, biàn huí dào le tā zìjǐ de yàngzi. Tā shuō, "Nǐ juédé wǒ kěyǐ shì jǐ pǐn ma?"

"Rúguǒ nǐ kàn qǐlái xiàng nàyàng, shì de, dāngrán kěyǐ!" Qīng shuō. "Rúguǒ nǐ néng jiù wǒ de érzi, wǒ jiù gěi Tángsēng yìqiān liǎng yínzi, gǎnxiè tā, bāngzhù tā xīxíng."

"Nǐ wèishénme bù gǎnxiè wǒ?" Sūn Wùkōng wèn.

"Dàwáng huì chī le nǐ. Nǐ huì sǐ. Rúguǒ nǐ sǐ le, wǒ zěnme gǎnxiè nǐ?"

"Ràng wǒ lái juédìng zhè shì."

Qīng hěn gāoxìng. Dàn tā de dìdi Chéng kū le. Sūn Wùkōng zhīdào wèi

了房间。他是一个快乐的小男孩，又是跳舞又是笑。孙悟空把身体摇了一下，马上他看起来就和关保一样。现在房间里有两个快乐的小男孩。两人又是跳舞又是笑。

老人张大了嘴。他不敢相信他看到的。孙悟空把身体摇了一下，变回到了他自己的样子。他说，"你觉得我可以是祭品[13]吗？"

"如果你看起来像那样，是的，当然可以！"清说。"如果你能救我的儿子，我就给唐僧一千两银子，感谢他，帮助他西行。"

"你为什么不感谢我？"孙悟空问。

"大王会吃了你。你会死。如果你死了，我怎么感谢你？"

"让我来决定这事。"

清很高兴。但他的弟弟澄哭了。孙悟空知道为

---

[13] 祭品　　　jì pǐn – sacrifice

shénme. "Yéye, bié kū le. Wǒ zhīdào nǐ bù xīwàng nǐ de nǚ'ér bèi nà dàwáng chī le. Wǒmen kěyǐ zǔzhǐ tā. Qǐng gěi wǒ de zhū péngyǒu hěnduō mǐfàn, shūcài huò miàntiáo. Ràng tā xiǎng chī duōshǎo jiù chī duōshǎo. Ránhòu wǒ jiù kěyǐ ràng tā biàn chéng nǐ nǚ'ér de yàngzi. Wǒmen huì jiù nǐmen de liǎng gè háizi, wǒmen huì zài tiānshàng dédào gōngdé!"

Zhū tīng dào le. "Ò, bù, gēge, bié ràng wǒ hé zhè shì yǒu guānxì. Nǐ kěyǐ zuò rènhé nǐ xiǎng zuò de shì, dàn wǒ bùxiǎng chéngwéi dàwáng de wǎnfàn!"

"Dìdi, nǐ wèishénme zhème shuō? Dāng wǒmen lái dào zhège fáng zǐ shí, zhè liǎng xiōngdì gěi le wǒmen shíwù hé hē de. Xiànzài wǒmen bìxū huán tāmen. Nà yǒu wèntí ma?"

"Wǒ bùxiǎng yòng wǒ de shēngmìng lái huán!" Zhū jiào dào.

Tángsēng shuō, "Wùnéng, nǐ gēge shuō de shì zhēn huà. Gǔrén shuō, 'Jiù rén shēngmìng, bǐ zào qī céng tǎ yào hǎo hěnduō.' Nǐ kěyǐ bàodá zhèxiē héshang gěi nǐ chī de, nǐ kěyǐ zài tiānshàng dé

什么。"爷爷，别哭了。我知道你不希望你的女儿被那大王吃了。我们可以阻止它。请给我的猪朋友很多米饭，蔬菜和面条。让他想吃多少就吃多少。然后我就可以让他变成你女儿的样子。我们会救你们的两个孩子，我们会在天上得到功德[14]！"

猪听到了。"哦，不，哥哥，别让我和这事有关系。你可以做任何你想做的事，但我不想成为大王的晚饭！"

"弟弟，你为什么这么说？当我们来到这个房子时，这两兄弟给了我们食物和喝的。现在我们必须还他们。那有问题吗？"

"我不想用我的生命来还！"猪叫道。

唐僧说，"悟能，你哥哥说的是真话。古人说，'救人生命，比造七层塔要好很多。'你可以报答这些和尚给你吃的，你可以在天上得

---

[14] 功德　　　　**gōngdé – merit**

dào gōngdé. Nǐ hé Sūn Wùkōng yīnggāi zhèyàng zuò. Zhè yīnggāi huì hěn hǎowán."

"Hǎowán?" Zhū jiào dào. "Zhè bù hǎowán. Érqiě wǒ bù zhīdào zěnme biàn chéng yígè xiǎo nǚhái. Yì pǐ mǎ, kěyǐ de. Yí zuò shān, kěyǐ de. Dànshì yígè xiǎo nǚhái? Bù."

"Yéye," Sūn Wùkōng duì Chéng shuō, "Qǐng bǎ nǐ de nǚ'ér jiào chūlái." Chéng jiào le yìshēng, Yí Chèng Jīn jìn le fángjiān. Sūn Wùkōng duì Zhū shuō, "Hǎo, wǒ de péngyǒu. Shì shíhòu le. Biàn!"

Zhū hěn bù kāixīn, dàn háishì niàn le yìxiē mó yǔ, yáo le jǐ cì tóu. Tā de tóu biàn chéng le Yí Chèng Jīn de yàngzi, dàn shēntǐ méiyǒu rènhé biànhuà, háishì yígè pàng zhū rén de shēntǐ.

"Zài biàn!" Sūn Wùkōng xiào dào.

"Wǒ bùnéng zài biàn le!" Zhū jiào dào.

"Hǎo, wǒ bāng nǐ." Sūn Wùkōng shuō. Tā duìzhe Zhū chuī le yìkǒu mó qì. Zhū de shēntǐ mǎshàng jiù biàn chéng le Yí Chèng Jīn de yàng

到功德。你和孙悟空应该这样做。这应该会很好玩。"

"好玩？"猪叫道。"这不好玩。而且我不知道怎么变成一个小女孩。一匹马，可以的。一座山，可以的。但是一个小女孩？不。"

"爷爷，"孙悟空对澄说，"请把你的女儿叫出来。"澄叫了一声，一秤金进了房间。孙悟空对猪说，"好，我的朋友。是时候了。变！"

猪很不开心，但还是念了一些魔语，摇了几次头。他的头变成了一秤金的样子，但身体没有任何变化，还是一个胖猪人的身体。

"再变！"孙悟空笑道。

"我不能再变了！"猪叫道。

"好，我帮你。"孙悟空说。他对着猪吹了一口魔气。猪的身体马上就变成了一秤金的样

zi.

Ránhòu Sūn Wùkōng duì Chén jiā xiōngdì shuō, "Qǐng nǐmen bǎ háizi dài jìnqù, zhèyàng jiù bú huì bù zhīdào shuí shì shuí. Gàosù tāmen yào fēicháng ānjìng, zài zhè yíqiè jiéshù zhīqián búyào chūlái." Ránhòu tā biàn chéng le Guānbǎo de yàngzi. Tā duì Chén jiā xiōngdì shuō, "Nǐmen yào zěnme bǎ wǒmen sòng gěi dàwáng?"

Chéng shuō, "Wǒ lái gàosù nǐ." Tā jiào le sì gè púrén, ná chū liǎng gè dàhóng qī pánzi. Tā ràng Sūn Wùkōng hé Zhū zuò zài pánzi shàng. Tā ràng púrén tái qǐ pánzi, fàng zài liǎng zhāng zhuōzi shàng. Ránhòu tā ràng tāmen bǎ zhuōzi tái dào Línggǎn Dàwáng miào qù.

Zài bèi tái dào miào lǐ de lùshàng, Sūn Wùkōng duì Zhū shuō, "Zuò zài pánzi lǐ. Búyào dòng, búyào shuōhuà. Děng dàwáng lái zhuā wǒ de shíhòu. Ránhòu pǎo chū miào, yuè kuài yuè hǎo."

Zhū huídá, "Kěshì rúguǒ tā xiān zhuā wǒ ne?"

Chéng zǒu zài tāmen de shēnbiān. Tā shuō, "Jǐ nián qián, cūnlǐ de yìxiē rén duǒ zài miào hòumiàn kàn dàwáng. Tā xiān chī nánhái, ránhòu shì nǚhái. Suǒyǐ wǒ rènwéi tā huì zàicì fāshēng zhèyàng de shì

子。

然后孙悟空对陈家兄弟说，"请你们把孩子带进去，这样就不会不知道谁是谁。告诉他们要非常安静，在这一切结束之前不要出来。"然后他变成了关保的样子。他对陈家兄弟说，"你们要怎么把我们送给大王？"

澄说，"我来告诉你。"他叫了四个仆人，拿出两个大红漆盘子。他让孙悟空和猪坐在盘子上。他让仆人抬起盘子，放在两张桌子上。然后他让他们把桌子抬到灵感大王庙去。

在被抬到庙里的路上，孙悟空对猪说，"坐在盘子里。不要动，不要说话。等大王来抓我的时候。然后跑出庙，越快越好。"

猪回答，"可是如果他先抓我呢？"

澄走在他们的身边。他说，"几年前，村里的一些人躲在庙后面看大王。他先吃男孩，然后是女孩。所以我认为它会再次发生这样的事

qíng. Kěnéng ba."

Jiù zài zhè shí, yìqún cūnlǐ de rén zài lùshàng yùjiàn le tāmen, tāmen ná zhe huǒjù, qiāozhe luó. "Dài nánhái qù dàwáng miào! Dài nǚhái qù dàwáng miào!" Tāmen hǎnzhe. Sì gè púrén táizhe zhuōzi jìn le dàwáng miào.

情。可能吧。"

就在这时，一群村里的人在路上遇见了他们，他们拿着火炬，敲着锣[15]。"带男孩去大王庙！带女孩去大王庙！"他们喊着。四个仆人抬着桌子进了大王庙。

---

[15] 锣　　　luó – gong

Dào le dàwáng miào, tāmen kàn dào le yíkuài dà shítou. Shíshàng yòng jīnzì xiězhe "Línggǎn Dàwáng." Zài miào de dìshàng shì sǐ le de zhū yáng jì pǐn. Cūnlǐ de rénmen bǎ nánhái hé nǚhái fàng zài jì pǐn de zuì shàngmiàn. Tāmen diǎn le xǔduō làzhú, shāo le xiāng. Ránhòu tāmen dōu chàng le qǐlái,

"Wěidà de fù wáng, wǒmen jīntiān lái dào nín de shēnbiān

Wǒmen zài měinián de tóng yì tiān dōu huì zhèyàng zuò

Chén Chéng gěi nín tā de nǚ'ér, Yí Chèng Jīn

Chén Qīng gěi nín tā de érzi, Chén Guānbǎo

Wǒmen hái wèi nín dài lái zhū hé yáng ràng nín xiǎngshòu

Qǐng gěi wǒmen dài lái fēng hé yǔ, ràng dàdì biàn lǜ

Wèi wǒmen dài lái wǔgǔ fēngshōu."

Ránhòu tāmen shāo le zhǐqián hé zhǐmǎ, huí dào le zìjǐ de jiā.

第 48 章

到了大王庙，他们看到了一块大石头。石上用
金字写着"灵感大王。"在庙的地上是死了的
猪羊祭品。村里的人们把男孩和女孩放在祭品
的最上面。他们点了许多蜡烛，烧了香。然后
他们都唱了起来，

"伟大的父王，我们今天来到您的身边

我们在每年的同一天都会这样做

陈澄给您他的女儿，一秤金

陈清给您他的儿子，陈关保

我们还为您带来猪和羊让您享受

请给我们带来风和雨，让大地变绿

为我们带来五谷[16]丰收[17]"

然后他们烧了纸钱和纸马，回到了自己的家。

---

[16] 谷　　　gǔ – grain
[17] 丰收　　fēngshōu – good harvest

Sūn Wùkōng hé Zhū děng le jǐ fēnzhōng. Ránhòu Zhū shuō, "Wǒmen xiànzài huí jiā ba, hǎo ma?"

Sūn Wùkōng shuō, "Nǐ hěn bèn, bié zhèyàng shuōhuà le. Rúguǒ wǒmen hěn zǎo líkāi, dàwáng huì duì cūnzhuāng zuò chū kěpà de shìqing. Wǒmen tóngyì bāngzhù cūnzhuāng, suǒyǐ wǒmen bìxū bāngzhù tāmen dào zuìhòu. Wǒmen bìxū děng dàwáng lái chī wǒmen."

Jiù zài zhè shí, tāmen tīng dào wàimiàn hěn dà de fēngshēng. "Ò, tiān nǎ," Zhū shuō. Miào mén dǎkāi le, zhàn zài nàlǐ de shì Línggǎn Dàwáng. Tā fēicháng dà, fēicháng gāo. Tā tóu dài jīn tóukuī, shēn chuān hóng cháng yī, yāo shàng yì bǎ jīn jiàn, yìshuāng zōngsè de dà xuēzi. Tā de yǎnjīng xiàng míngliàng de xīngxīng, tā de yá xiàng gāng jiàn. Huī wù bāowéizhe tā. Dāng tā zǒu jìn miào shí, yì gǔ lěngfēng gēnzhe tā.

Tā kàn dào le liǎng gè xiǎo háizi. Tā yòng léi shēng yíyàng de shēngyīn hǎn dào, "Jīnnián shì nǎ jiā sòng de jì pǐn?"

孙悟空和猪等了几分钟。然后猪说，“我们现在回家吧，好吗？”

孙悟空说，“你很笨，别这样说话了。如果我们很早离开，大王会对村庄做出可怕的事情。我们同意帮助村庄，所以我们必须帮助他们到最后。我们必须等大王来吃我们。”

就在这时，他们听到外面很大的风声。“哦，天哪，”猪说。庙门打开了，站在那里的是灵感大王。他非常大，非常高。他头戴金头盔[18]，身穿红长衣，腰上一把金剑，一双棕[19]色的大靴子。他的眼睛像明亮的星星，他的牙像钢剑。灰雾包围[20]着他。当他走进庙时，一股冷风跟着他。

他看到了两个小孩子。他用雷声一样的声音喊道，“今年是哪家送的祭品？”

---

18 头盔　tóukuī – helmet
19 棕　zōng – brown
20 包围　bāowéi – to encircle

Sūn Wùkōng xiàozhe shuō, "Hào wèntí! Jīnnián shì Chén jiā xiōngdì gěi nǐ sòng de jì pǐn."

Dàwáng duì zhè yǒudiǎn kùnhuò. Tā xiǎng, "Zhè hěn qíguài. Háizimen yìbān dōuhuì hàipà jí le, méiyǒu bànfǎ huídá rènhé wèntí. Zhè nánhái zěnme jiù zhème róngyì de shuōhuàle? Wǒ zài zhèlǐ yídìng yào xiǎoxīn!" Tā shuō, "Xiǎo háizi, nǐmen jiào shénme míngzì?"

"Wǒ jiào Chén Guānbǎo," Sūn Wùkōng shuō, "Nà nǚhái jiào Yí Chèng Jīn."

"Zhè zhǒng jìsì shì yì nián yícì de xísú. Nǐmen yǐjīng bèi sòng gěi le wǒ. Suǒyǐ wǒ yào chī le nǐmen."

"Zuò ba!"

Dàwáng cóng kùnhuò biàn wéi shēngqì. "Bié zhèyàng gēn wǒ shuōhuà! Zài guòqù de jǐ nián lǐ, wǒ yìzhí shì xiān chī xiǎo nánhái. Dànshì jīnnián wǒ huì gǎibiàn zhège xíguàn. Wǒ xiān chī xiǎo nǚhái."

孙悟空笑着说，"好问题！今年是陈家兄弟给你送的祭品。"

大王对这有点困惑。他想，"这很奇怪。孩子们一般都会害怕极了，没有办法回答任何问题。这男孩怎么就这么容易地说话了？我在这里一定要小心！"他说，"小孩子，你们叫什么名字？"

"我叫陈关保，"孙悟空说，"那女孩叫一秤金。"

"这种祭祀[21]是一年一次的习俗[22]。你们已经被送给了我。所以我要吃了你们。"

"做吧！"

大王从困惑变为生气。"别这样跟我说话！在过去的几年里，我一直是先吃小男孩。但是今年我会改变这个习惯。我先吃小女孩。"

---

[21] 祭祀　　　jìsì – sacrifice
[22] 习俗　　　xísú– custom, tradition

"Ò, búyào!" Zhū hǎn dào, "Qǐng búyào gǎi nǐ de xíguàn! Zhào lǎo bànfǎ zuò!"

Dàwáng yòng shǒu zhuā zhù le Zhū. Zhū tiào dào dìshàng, biàn huí dào le tā zìjǐ de yàngzi, yòng bàzi zhòngzhòng de dǎ zài le dàwáng de tóu shàng. Dàwáng liàngqiàng le yíxià. Liǎng piàn xiǎo yúlín diào zài dìshàng. Sūn Wùkōng yě tiào dào dìshàng, biàn huí dào le tā zìjǐ de yàngzi. Tā xiǎng yòng tā de bàng dǎ dàwáng. Dàwáng běnlái yǐwéi tā shì lái cānjiā yànhuì de, suǒyǐ tā zhǐyǒu yāo shàng nà bǎ jīn jiàn. Nà bǎ jiàn méiyǒu zúgòu de qiángdà, bùnéng yòng lái gēn Sūn Wùkōng hé Zhū zhàndòu.

Dàwáng fēikuài de fēi shàng le tiānkōng. Sūn Wùkōng hé Zhū zhuī le shàngqù. Zhàn zài yípiàn yún biān shàng, tā hǎn dào, "Nǐmen liǎng gè cóng nǎlǐ lái? Nǐmen zěnme gǎn lái zhèlǐ, tōu wǒ de wǎnfàn, hái mà wǒ?"

Sūn Wùkōng huídá, "Wǒmen shì Tángsēng de túdì. Tā bèi tā de huángdì sòng qù xītiān dài huí shèngjīng. Zuótiān wǎnshàng wǒmen zhù zài Chén

"哦，不要！"猪喊道，"请不要改[23]你的习惯！照老办法做！"

大王用手抓住了猪。猪跳到地上，变回到了他自己的样子，用耙子重重地打在了大王的头上。大王踉跄了一下。两片小鱼鳞[24]掉在地上。孙悟空也跳到地上，变回到了他自己的样子。他想用他的棒打大王。大王本来以为他是来参加宴会的，所以他只有腰上那把金剑。那把剑没有足够的强大，不能用来跟孙悟空和猪战斗。

大王飞快地飞上了天空。孙悟空和猪追了上去。站在一片云边上，他喊道，"你们两个从哪里来？你们怎么敢来这里，偷我的晚饭，还骂我？"

孙悟空回答，"我们是唐僧的徒弟。他被他的皇帝送去西天带回圣经。昨天晚上我们住在陈

---

jiā. Tāmen gàosù wǒmen guānyú jiào zìjǐ wéi dàwáng hái yào chī xiǎohái de móguǐ. Wǒmen juédìng jiù shēngmìng, hái yào zhuā zhù nǐ. Xiànzài nǐ bìxū gàosù wǒmen suǒyǒu de shìqing. Nǐ shā le hé chī le duōshǎo háizi? Rúguǒ nǐ bǎ yíqiè dōu gàosù wǒmen, wǒmen kěnéng huì ràng nǐ huó xiàqù."

Móguǐ tīng dào zhèxiē huà, hàipà le. Tā biàn chéng yízhèn fēng, chuīguò Tōng Tiān Hé. "Tā kěnéng zhù zài hé lǐ." Sūn Wùkōng shuō. "Wǒmen zài zhèlǐ děngdào míngtiān. Wǒmen kěyǐ zhuā zhù tā, ràng tā dài shīfu guò hé." Ránhòu liǎng gè túdì ná qǐ zhū, yáng, zhuōzi hé pánzi. Tāmen bǎ suǒyǒu de dōngxi dōu dài huí le Chén jiā, bǎ tāmen diū zài le yuànzi lǐ. Tāmen bǎ dàwáng miào lǐ fāshēng de yíqiè, dōu gàosù le Tángsēng hé Chén jiā xiōngdì.

Tóngshí, móguǐ biàn huí dào le tā zìjǐ de yàngzi, lái dào le Tōng Tiān Hé dǐ tā zìjǐ de gōngdiàn. Tā zài yǐzi shàng zuò le hěn cháng shíjiān, méiyǒu shuō yíjù huà. Tā de péngyǒu hé qīnqi dōu hěn dānxīn tā. Qízhōng yìrén shuō, "Dàwáng, yìbān lái shuō, jìsì huílái, nǐ dōuhuì hěn gāoxìng. Jīnnián nǐ hěn ānjìng. Fāshēng le shénme?"

家。他们告诉我们关于叫自己为大王还要吃小孩的魔鬼。我们决定救生命，还要抓住你。现在你必须告诉我们所有的事情。你杀了和吃了多少孩子？如果你把一切都告诉我们，我们可能会让你活下去。"

魔鬼听到这些话，害怕了。他变成一阵风，吹过<u>通天河</u>。"他可能住在河里。"<u>孙悟空</u>说。"我们在这里等到明天。我们可以抓住他，让他带师父过河。"然后两个徒弟拿起猪、羊、桌子和盘子。他们把所有的东西都带回了<u>陈</u>家，把它们丢在了院子里。他们把大王庙里发生的一切，都告诉了<u>唐僧</u>和<u>陈家兄弟</u>。

同时，魔鬼变回到了他自己的样子，来到了<u>通天</u>河底他自己的宫殿。他在椅子上坐了很长时间，没有说一句话。他的朋友和亲戚都很担心他。其中一人说，"大王，一般来说，祭祀回来，你都会很高兴。今年你很安静。发生了什么？"

"Wǒ de yùnqì fēicháng bù hǎo," tā huídá shuō. "Yígè qù xītiān qǔ fó shū de shèng sēng, tā yǒu liǎng gè túdì. Qízhōng yígè biàn chéng le xiǎo nánhái, lìng yígè biàn chéng le xiǎo nǚhái. Tāmen jīhū shā le wǒ!"

Tā jìxù shuō, "Wǒ tīngshuōguò zhège Tángsēng. Tāmen shuō tā yǐjīng zài shí cì shēngmìng zhòng xuéxí Dào. Tāmen shuō zhǐyào chī yìdiǎn tā de ròu jiù néng yǒu cháng cháng de shēngmìng. Zhè tīng qǐlái xiàng shì yígè hǎo zhǔyì. Kěshì a, zhèxiē túdì! Tāmen fēicháng wéixiǎn. Wǒ xiǎng chī Tángsēng, dàn yòu bù gǎn zǒu jìn nàxiē túdì."

Yígè dà yú māma xiàng tā jūgōng shuō, "Dàwáng, zhuā zhù Tángsēng bù nán. Wǒ kěyǐ bāngzhù nǐ. Dàn rúguǒ wǒ bāngzhù nǐ, nǐ yào zěnme bāngzhù wǒ?"

Móguǐ huídá, "Rúguǒ nǐ néng jiào wǒ zěnme zhuā zhù Tángsēng, wǒ jiù chéngwéi nǐ de qīn gēge. Wǒmen huì yìqǐ zuò xiàlái chī tā de ròu."

"我的运气非常不好，"他回答说。"一个去西天取佛书的圣僧，他有两个徒弟。其中一个变成了小男孩，另一个变成了小女孩。他们几乎杀了我！"

他继续说，"我听说过这个唐僧。他们说他已经在十次生命中学习道。他们说只要吃一点他的肉就能有长长的生命。这听起来像是一个好主意。可是啊，这些徒弟！他们非常危险。我想吃唐僧，但又不敢走近那些徒弟。"

一个大鱼妈妈向他鞠躬说，"大王，抓住唐僧不难。我可以帮助你。但如果我帮助你，你要怎么帮助我？"

魔鬼回答，"如果你能教我怎么抓住唐僧，我就成为你的亲哥哥[25]。我们会一起坐下来吃他的肉。"

---

[25] Literally, "dear brother." This is similar to the Western idea of "bond brother" or "blood brother," when unrelated people choose to form a bond as close as that of two brothers. In Book 6, Tangseng became the bond brother of the king Taizong.

"Xièxiè! Dàwáng, wǒ zhīdào nǐ kěyǐ dài lái fēng hé yǔ, nǐ kěyǐ fāndòng héliú hé dàhǎi. Dànshì nǐ néng dài bīng hé xuě ma?"

"Dāngrán, zhè duì wǒ lái shuō hěn róngyì."

"Nàme, nǐ kěyǐ zhuā zhù nàge Tángsēng le. Jīntiān wǎnshàng, nǐ bìxū dài lái hěn lěng de tiānqì hé dàxuě. Tōng Tiān Hé huì biàn chéng bīng. Ránhòu, nǐ bìxū bǎ wǒmen biàn chéng rén de yàngzi. Wǒmen cóng dōng àn dào xī àn zǒuguò hé. Wǒmen huì dàizhe sǎn, wǒmen huì tuīzhe chē. Tángsēng huì kànjiàn wǒmen. Tā huì yǐwéi wǒmen shì shēngyì rén, zhèyàng guò hé jiù hěn ānquán. Děngdào héshang hé tā de túdì guò le hé de yíbàn, ránhòu bǎ tāmen jiǎoxià de bīng huà le. Tāmen huì diào jìn hé lǐ. Nǐ jiù dédào le tāmen. Jiǎndān!"

"Tài hǎo le!" Móguǐ hǎn dào. Tā fēi dào yún zhōng, kāishǐ dài lái lěng tiānqì hé dàxuě. Héliú hěn kuài biàn chéng le bīng.

Zài Chén de jiālǐ, sì wèi xíngrén dōu shuìzháo le. Tiānqì biàn lěng le, tāmen xǐng lái shí dōu zài fādǒu. "Wǒ hǎo lěng," Zhū zài fādǒu.

"谢谢！大王，我知道你可以带来风和雨，你可以翻动河流和大海。但是你能带冰和雪吗？"

"当然，这对我来说很容易。"

"那么，你可以抓住那个<u>唐僧</u>了。今天晚上，你必须带来很冷的天气和大雪。<u>通天</u>河会变成冰。然后，你必须把我们变成人的样子。我们从东岸到西岸走过河。我们会带着伞，我们会推着车。<u>唐僧</u>会看见我们。他会以为我们是生意人，这样过河就很安全。等到和尚和他的徒弟过了河的一半，然后把他们脚下的冰化了。他们会掉进河里。你就得到了他们。简单！"

"太好了！"魔鬼喊道。他飞到云中，开始带来冷天气和大雪。河流很快变成了冰。

在<u>陈</u>的家里，四位行人都睡着了。天气变冷了，他们醒来时都在发抖。"我好冷，"<u>猪</u>在发抖。

"Bèn rén," Sūn Wùkōng shuō, "Nǐ xūyào zhǎng dà le. Wǒmen yǐjīng líkāi le jiā. Wǒmen bù yīng gāi shòudào rè huò lěng de yǐngxiǎng. Nǐ zěnme huì pà lěng ne?" Kěshì dāng tāmen zǒu dào Chén jiā wàimiàn de shíhòu, tāmen kàn dào shù shàng gài mǎn le bīng. Xuě cóng tiānshàng xiàlái, xiàng yì gēn gēn sī xiàn hé yí piànpiàn yù. Fēng bǎ xuě chuī chéng hěn dà hěn dà de xuě duī. Yuǎnyuǎn de, tāmen kěyǐ kàn dào hé bèi bīng gàizhe.

Chéng lǎorén dàizhe jǐ gè púrén jìn wūzi shēnghuǒ. Tángsēng wèn tā, "Yéye, gàosù wǒ, nín zhè lǐ yǒu chūn, xià, qiū, dōng sì gè jìjié ma?"

"Dāngrán," tā huídá, "Wǒmen hé qítā rén shēnghuó zài tóng yígè tàiyáng xià."

"Nà nín gàosù wǒ, wèishénme wǒmen zài zǎoqiū de shíhòu yǒu bīnglěng de tiānqì hé dàxuě?"

"Kěnéng wǒmen de wángguó bǐ nǐmen de gèng lěng. Wǒmen zài zǎoqiū

"笨人，"孙悟空说，"你需要长大了。我们已经离开了家。我们不应该受到热或冷的影响。你怎么会怕冷呢？"可是当他们走到陈家外面的时候，他们看到树上盖满了冰。雪从天上下来，像一根根丝线[26]和一片片玉。风把雪吹成很大很大的雪堆[27]。远远地，他们可以看到河被冰盖着。

澄老人带着几个仆人进屋子生火。唐僧问他，"爷爷，告诉我，您这里有春、夏、秋、冬四个季节吗？"

"当然，"他回答，"我们和其他人生活在同一个太阳下。"

"那您告诉我，为什么我们在早秋的时候有冰冷的天气和大雪？"

"可能我们的王国比你们的更冷。我们在早秋

---

26 线　　　xiàn – thread
27 雪堆　　xuě duī – snow drift

shí chángcháng huì xià yìdiǎn xuě. Dànshì bié dānxīn, wǒmen yǒu zúgòu de shíwù hé shāohuǒ de mùtou. Nǐ zhù zài zhèlǐ huì hěn shūfú."

"Yéye, duōnián qián, wǒ líkāi jiā, zǒu shàng le zhè lǚtú. Táng huángdì tā hé wǒ yìqǐ hē le yìbēi jiǔ, chéng le wǒ de qīn gēge. Tā wèn wǒ, wǒ de lǚtú huì yǒu duōjiǔ. Wǒ gàosù tā sān nián. Dànshì yǐjīng shì bā, jiǔ nián le, wǒ hái méiyǒu jiējìn xītiān. Xiànzài, yīnwèi zhè lěng tiānqì, wǒmen bìxū děngzhe. Wǒ bù zhīdào wǒmen néng bùnéng guò zhè Tōng Tiān Hé."

Chéng xiào dào. "Shèng fù, qǐng fàngsōng, hǎohǎo xiǎngshòu zhè měihǎo de tiānqì ba!"

Dì èr tiān, tiānqì gèng lěng le. Chéng jiā lǐ shēngzhe huǒ, dànshì xíngrénmen háishì néng kàn dào tāmen hūxī de qì wù, xiàng kōngzhōng de báiyún. Tāmen chuān shàng hòu wàiyī, dàn tāmen háishì gǎndào lěng. "Wǒ cónglái méiyǒu jiànguò zhème lěng de tiānqì," Zhū shuō. "Wǒ xiǎng xiànzài hé lǐ yídìng yǐjīng gàizhe hòu hòu de bīng."

Tángsēng kàn le tā yīhuǐ'er. Ránhòu tā duì Chéng shuō, "Yéye,

时常常会下一点雪。但是别担心，我们有足够的食物和烧火的木头。你住在这里会很舒服。"

"爷爷，多年前，我离开家，走上了这旅途。唐皇帝他和我一起喝了一杯酒，成了我的亲哥哥。他问我，我的旅途会有多久。我告诉他三年。但是已经是八、九年了，我还没有接近西天。现在，因为这冷天气，我们必须等着。我不知道我们能不能过这通天河。"

澄笑道。"圣父，请放松，好好享受这美好的天气吧！"

第二天，天气更冷了。澄家里生着火，但是行人们还是能看到他们呼吸的气雾，像空中的白云。他们穿上厚外衣，但他们还是感到冷。"我从来没有见过这么冷的天气，"猪说。"我想现在河里一定已经盖着厚厚的冰。"

唐僧看了他一会儿。然后他对澄说，"爷爷，

xièxiè nín zhè jǐ tiān duì wǒmen de zhàogù. Xiànzài zhè
tiáo hé shàng gàizhe hòu bīng. Zhè shì wǒmen zǒuguò
hé, jìxù xiàng xīxíng de shíhòu le."

"Qǐng děng yíxià," Chéng huídá. "Zài guò jǐ tiān, bīng jiù
huì huà le. Nà shí wǒ jiù kěyǐ yòng wǒ de chuán dài
nǐmen guò hé."

"Xièxiè nín, dàn wǒmen bùnéng děng le. Rúguǒ kěyǐ,
qǐng nín zài gěi wǒmen sān pǐ mǎ, wǒ de túdì měi rén yì
pǐ. Wǒmen sì gè rén qímǎ guò hé."

Chéng duì zhè bù mǎnyì, dàn tā tóngyì le. Tā de púrén
dài lái le sān pǐ mǎ. Sì wèi xíngrén qí shàng mǎ, kànzhe
bīng gàizhe de hé. "Nàxiē shì shénme rén?" Tángsēng
zhǐzhe yìqún guò hé de rén wèn dào.

"Wǒ xiǎng tāmen shì shēngyì rén. Xǔduō shēngyì rén qù
hé yuǎn chù nà biān de Xīliáng Nǚguó. Hé zhè biān mài yì
qián de dōngxi zài hé nà biān mài yìbǎi qián. Hé nà biān
mài yì fēn qián de dōngxi zài zhèlǐ mài yì

谢谢您这几天对我们的照顾。现在这条河上盖着厚冰。这是我们走过河，继续向西行的时候了。"

"请等一下，"澄回答。"再过几天，冰就会化了。那时我就可以用我的船带你们过河。"

"谢谢您，但我们不能等了。如果可以，请您再给我们三匹马，我的徒弟每人一匹。我们四个人骑马过河。"

澄对这不满意，但他同意了。他的仆人带来了三匹马。四位行人骑上马，看着冰盖着的河。"那些是什么人？"唐僧指着一群过河的人问道。

"我想他们是生意人。许多生意人去河远处那边的西梁女国。河这边卖一钱的东西在河那边卖一百钱。河那边卖一分钱的东西在这里卖一

bǎi qián. Suǒyǐ dāngrán kěyǐ dédào hěnduō lìyì. Shēngyì rén xǐhuān lìyì, suǒyǐ suīrán yǒu wéixiǎn, tāmen yě huì guò hé."

Tángsēng xiǎngzhe zhè. "Shì de, rén shì míng hé lìyì de núlì. Xǔduō rén huì wèi le míng hé lìyì fàngqì tāmen de shēngmìng. Dàn zài wǒ zhèlǐ, wǒ wèi wǒ de huángdì fàngqì wǒ de shēngmìng. Kěnéng wǒ yě xiǎng yào yǒumíng. Kěnéng wǒ hé nàxiē shēngyì rén méiyǒu shénme bùtóng." Tā zhuǎnxiàng Sūn Wùkōng. "Dà túdì, zhǔnbèi mǎ. Wǒmen xiànzài jiù líkāi."

"Děng yì děng!" Zhū hǎn dào. Tā pǎo dào yìbǎi chǐ yuǎn de bīng shàng. Tā jǔ qǐ tā de jiǔ chā bàzi, zhóngzòhòng de zá zài bīng shàng. Bàzi cóng bīng shàng dàn kāi. Zhū de shǒu shòushāng le, dàn bīng méiyǒu bèi zá kāi. "Hǎo le," tā hǎn dào, "Zài bīng shàng xíngzǒu shì ānquán de."

Sì gè xíngrén kāishǐ zài bīng shàng mànman de qízhe mǎ. Tángsēng de mǎ mǎshàng huá le yíxià, jīhū huá dǎo. Zhū ràng tāmen děngzhe. Ránhòu tā pǎo huí Chén jiā, ná le yí dà kǔn cǎo. Tā pǎo huí dào Tángsēng

百钱。所以当然可以得到很多利益[28]。生意人喜欢利益，所以虽然有危险，他们也会过河。"

唐僧想着这。"是的，人是名和利益的奴隶。许多人会为了名和利益放弃他们的生命。但在我这里，我为我的皇帝放弃我的生命。可能我也想要有名。可能我和那些生意人没有什么不同。"他转向孙悟空。"大徒弟，准备马。我们现在就离开。"

"等一等！"猪喊道。他跑到一百尺远的冰上。他举起他的九叉耙子，重重地砸在冰上。耙子从冰上弹开。猪的手受伤了，但冰没有被砸开。"好了，"他喊道，"在冰上行走是安全的。"

四个行人开始在冰上慢慢地骑着马。唐僧的马马上滑了一下，几乎滑倒。猪让他们等着。然后他跑回陈家，拿了一大捆草。他跑回到唐僧

---

[28] 利益　　　lìyì – profit, interest

hé qítā rén nàlǐ. Tāmen yòng cǎo bāo zài mǎ tí shàng.
Zhè zǔzhǐ le mǎ zài bīng shàng huá dǎo.

Tāmen qí le sān, sì lǐ lù. Zhū duì Tángsēng shuō, "Shīfu,
qǐng názhe wǒ de bàzi. Wǒmen qímǎ shí yào héng názhe
tā."

"Wèishénme? Wǒ bù xūyào nǐ de bàzi." Tángsēng huídá.

"Shīfu, nǐ bù zhīdào zhège, dànshì yǒu de shíhòu bīng shì
yǒu dòng de. Rúguǒ nǐ de mǎ bù rù le dòng lǐ, nǐ hé mǎ
dōuhuì diào jìn bīng lǐ, nǐ huì yān sǐ zài lěngshuǐ zhōng.
Zhège bà zǐ kěyǐ zǔzhǐ nǐ cóng bīng shàng diào xiàqù.
Dāngrán, mǎ huì yān sǐ, dàn nǐ bú huì sǐ."

Suǒyǐ Tángsēng héng wòzhe bàzi. Sūn Wùkōng jiàn zhè,
tā jiù héng wòzhe tā de bàng. Shā héshang yě nàyàng
názhe tā de guǎizhàng. Zhū méile tā de bàzi, dàn tā héng
názhe xínglǐ gān qí zhe.

Yèwǎn lái le, sì gè xíngrén bù gǎn tíng xiàlái. Tāmen jìxù
zài yuèguāng hé xīngguāng xià xíngzǒu. Tāmen chī le
yìdiǎn lěng de shíwù.

和其他人那里。他们用草包在马蹄[29]上。这阻止了马在冰上滑倒。

他们骑了三、四里路。猪对唐僧说，"师父，请拿着我的耙子。我们骑马时要横[30]拿着它。"

"为什么？我不需要你的耙子。"唐僧回答。

"师父，你不知道这个，但是有的时候冰是有洞的。如果你的马步入了洞里，你和马都会掉进冰里，你会淹死[31]在冷水中。这个耙子可以阻止你从冰上掉下去。当然，马会淹死，但你不会死。"

所以唐僧横握着耙子。孙悟空见这，他就横握着他的棒。沙和尚也那样拿着他的拐杖。猪没了他的耙子，但他横拿着行李杆骑着。

夜晚来了，四个行人不敢停下来。他们继续在月光和星光下行走。他们吃了一点冷的食物。

---

[29] 蹄　　　　tí – hoof
[30] 横　　　　héng – horizontal, sideways
[31] 淹死　　　yān sǐ – to drown (literally, "flood death")

67

Tāmen qí le yì wǎnshàng, zhídào dì èr tiān.

Dāng sì wèi xíngrén zài bīng shàng qízhe mǎ de shíhòu, móguǐ zài bīng xià de gōngdiàn zhōng děngzhe. Tā tīngjiàn mǎtí zài bīng shàng de shēngyīn. Tā yòng tā de mólì huà le xíngrén jiǎoxià de bīng. Bīng suì le. Sūn Wùkōng tiào dào kōngzhōng, dànshì qítā sān gè xíngrén hé sì pǐ mǎ dōu diào jìn shuǐzhōng. Zhū, Shā hé báimǎ yóu dào shuǐmiàn, pá dào bīng shàng. "Shīfu zài nǎlǐ?" Sūn Wùkōng hǎn dào.

Shuǐ xià, móguǐ zhuā zhù Tángsēng, bǎ tā dài dào le shuǐ xià de gōngdiàn zhōng. "Yú māma, kuài lái!" Tā hǎn dào. "Nǐ de zhǔyì hěn hǎo. Wǒmen dédào le Tángsēng. Ràng wǒmen bǎ tā zuò chéng fàn chīle!"

"Dàwáng, xièxiè nǐ," yú māma huídá, "Búguò qǐng děng yīhuǐ'er. Héshang de túdì xiànzài kěnéng hěn shēngqì. Nǐ yīnggāi zhùyì tāmen, yīnwèi rúguǒ tāmen lái zhèlǐ, nǐ yào hé tāmen zhàndòu. Ràng wǒmen liúzhe Tángsēng, děng yī, liǎng tiān, dāng wèntí jiějué le, zài bǎ tā chī diào. Wǒmen yào chànggē tiàowǔ, jǔxíng dà yànhuì!"

他们骑了一晚上，直到第二天。

当四位行人在冰上骑着马的时候，魔鬼在冰下的宫殿中等着。他听见马蹄在冰上的声音。他用他的魔力化了行人脚下的冰。冰碎了。孙悟空跳到空中，但是其他三个行人和四匹马都掉进水中。猪、沙和白马游到水面，爬到冰上。"师父在哪里？"孙悟空喊道。

水下，魔鬼抓住唐僧，把他带到了水下的宫殿中。"鱼妈妈，快来！"他喊道。"你的主意很好。我们得到了唐僧。让我们把他做成饭吃了！"

"大王，谢谢你，"鱼妈妈回答，"不过请等一会儿。和尚的徒弟现在可能很生气。你应该注意他们，因为如果他们来这里，你要和他们战斗。让我们留着唐僧，等一、两天，当问题解决了，再把他吃掉。我们要唱歌跳舞，举行大宴会！"

Sān gè túdì lái dào kōngzhōng, fēi huí cūnzi, mǎ pǎo dé xiàng fēng yíyàng kuài. Tāmen dōu dào le Chén jiā.

"Nǐmen de shīfu ne?" Chén Chéng wèn.

Zhū huídá shuō, "Xiànzài tā de xìng shì 'Chén,' tā de míngzì shì 'Dàodǐ.' "

"Duōme kělián!" Chéng kūzhe shuō. "Wǒmen gàosù tā wǒmen kěyǐ yòng chuán dài tā, dàn tā bùnéng děng le. Xiànzài tā sǐ le."

"Wǒ bú rènwéi wǒmen shīfu yǐjīng sǐ le." Sūn Wùkōng shuō. "Shì nàge móguǐ, Línggǎn Dàwáng zuò de. Yéye, qǐng gěi wǒmen yìxiē gān yīfú, bǎ zhèxiē shī yīfú xǐ yíxià, bǎ wǒmen de tōngguān wénshū nòng gàn, wèi wǒmen de báimǎ. Wǒmen xūyào huíqù miàn duì zhège móguǐ. Wǒmen yào qù jiù wǒmen de shīfu, wǒmen hái yào shā sǐ zhège è mó. Nǐmen cūnzi kěyǐ yǒu hépíng shēnghuó!"

三个徒弟来到空中，飞回村子，马跑得像风一样快。他们都到了陈家。"你们的师父呢？"陈澄问。

猪回答说，"现在他的姓是'沉，'他的名字是'到底。'"

"多么可怜！"澄哭着说。"我们告诉他我们可以用船带他，但他不能等了。现在他死了。"

"我不认为我们师父已经死了。"孙悟空说。"是那个魔鬼，灵感大王做的。爷爷，请给我们一些干衣服，把这些湿[32]衣服洗一下，把我们的通关文书弄干[33]，喂我们的白马。我们需要回去面对这个魔鬼。我们要去救我们的师父，我们还要杀死这个恶魔。你们村子可以有和平生活！"

---

[32] 湿   shī – wet
[33] 弄干   nòng gàn – to dry something out

Chén jiā xiōngdì tīng dào zhè huà, hěn gāoxìng. Tāmen gěi le sān gè túdì yí dùn hào chī de rè fàn hé gān yīfú. Chī wán fàn, sān gè túdì ná qǐ tāmen de wǔqì, huí dào hé biān zhǎo tāmen de shīfu, zhuā zhù móguǐ.

陈家兄弟听到这话，很高兴。他们给了三个徒弟一顿好吃的热饭和干衣服。吃完饭，三个徒弟拿起他们的武器，回到河边找他们的师父，抓住魔鬼。

Tāmen lái dào le Tángsēng diào jìn shuǐ lǐ de dìfāng. Sūn Wùkōng bùxiǎng xiàshuǐ. Tā duì Zhū hé Shā shuō, "Nǐmen liǎng gè zài shuǐ lǐ bǐ wǒ hǎoduō le. Rúguǒ zhège móguǐ zài shāndòng lǐ, nà méi wèntí, dàn wǒ zài shuǐ lǐ bùxíng. Wǒ xūyào yòng yì zhī shǒu zuò bì shuǐ de shǒushì. Zhè jiùshì shuō wǒ zhǐyǒu yì zhī shǒu kěyǐ yòng wǒ de Jīn Gū Bàng."

Shā shuō tā kěyǐ dàizhe Sūn Wùkōng, zhídào móguǐ de jiā. Dàn Zhū shuō tā gèng qiáng, tā yào bēizhe Sūn Wùkōng. "Hǎo de." Sūn Wùkōng shuō. Dàn tā yǒu yì zhǒng gǎnjué, Zhū xiǎng zhuōnòng tā.

Shā yòng mófǎ kāi le yìtiáo wǎng hé dǐ de lù. Xiōngdì sān rén xiàng hé dǐ tiào le xiàqù. Sūn Wùkōng xiǎng Zhū yǐjīng zhǔnbèi hǎo le lái zhuōnòng tā. Suǒyǐ tā cóngtóu shàng bá le yì gēn tóufà, biàn le yígè jiǎ de zìjǐ. Tā bǎ jiǎ de zìjǐ fàng zài Zhū de bèi shàng, bǎ tā zì

第 49 章

他们来到了<u>唐僧</u>掉进水里的地方。<u>孙悟空</u>不想下水。他对<u>猪</u>和<u>沙</u>说，"你们两个在水里比我好多了。如果这个魔鬼在山洞里，那没问题，但我在水里不行。我需要用一只手做避水的手势[34]。这就是说我只有一只手可以用我的金箍棒。"

<u>沙</u>说他可以带着<u>孙悟空</u>，直到魔鬼的家。但<u>猪</u>说他更强，他要背着<u>孙悟空</u>。"好的。"<u>孙悟空</u>说。但他有一种感觉，<u>猪</u>想捉弄[35]他。

<u>沙</u>用魔法开了一条往河底的路。兄弟三人向河底跳了下去。<u>孙悟空</u>想<u>猪</u>已经准备好了来捉弄他。所以他从头上拔了一根头发，变了一个假的自己。他把假的自己放在<u>猪</u>的背上，把他自

---

[34] 手势　　shǒushì– gesture, sign
[35] 捉弄　　zhuōnòng – to tease, to trick

jǐ biàn chéng yì zhī shīzi, pá jìn Zhū de ěrduǒ lǐ.

Jǐ fēnzhōng hòu, Zhū liàngqiàng dǎo xià, bǎ jiǎ de Sūn Wùkōng rēng fēi dào le tā miànqián de dìshàng. Jiǎ de Sūn Wùkōng biàn huí dào tóufà, zài shuǐzhōng piāo zǒu le. "Xiànzài nǐ zuò le zhè," Shā shuō. "Gēge piāo zǒu le. Méiyǒu tā, wǒmen zěnme hé móguǐ zhàndòu?"

"Bié dānxīn," Zhū shuō, "Wǒmen bù xūyào nà zhǐ hóuzi. Wǒmen liǎng gè hé móguǐ zhàndòu méiyǒu wèntí."

"Bù, wǒ bú huì zài jìxù zǒu. Gēge hěn qiáng hěn kuài, shì yígè hěn hǎo de zhànshì. Wǒmen xūyào tā. Méiyǒu tā, wǒ bú huì qù."

Sūn Wùkōng bùnéng zài jìxù ānjìng xiàqù le. Tā zài Zhū de ěr biān hǎn dào, "Wǒ zài zhèlǐ!" Zhū xià dé guì le xiàqù, xiàng měi gè fāngxiàng kòutóu.

"Gēge, duìbùqǐ!" Tā kūzhe. "Nǐ zài nǎlǐ? Wǒ

己变成一只虱子[36]，爬进猪的耳朵里。

几分钟后，猪踉跄倒下，把假的孙悟空扔飞到了他面前的地上。假的孙悟空变回到头发，在水中漂走了。"现在你做了这，"沙说。"哥哥漂走了。没有他，我们怎么和魔鬼战斗？"

"别担心，"猪说，"我们不需要那只猴子。我们两个和魔鬼战斗没有问题。"

"不，我不会再继续走。哥哥很强很快，是一个很好的战士。我们需要他。没有他，我不会去。"

孙悟空不能再继续安静下去了。他在猪的耳边喊道，"我在这里！"猪吓得跪了下去，向每个方向叩头。

"哥哥，对不起！"他哭着。"你在哪里？我

---

³⁶ 虱子　　　　shīzi – louse

xiǎng shuō duìbùqǐ, dàn wǒ bù zhīdào nǐ zài nǎlǐ!"

"Wǒ shì nǐ ěr zhōng de shīzi. Xiànzài wǒ yào biàn huí wǒ zìjǐ de yàngzi. Búyào zài yǒu rènhé zhuōnòngle!"

Tāmen yòu zǒu le yìbǎi lǐ zuǒyòu de lù. Tāmen lái dào le yízuò dà fángzi qián. Fángzi shàng de yíkuài páizi shàng xiězhe, "Shuǐ Hǎiguī Wū." Sūn Wùkōng ràng Zhū hé Shā duǒ qǐlái. Tā zǒu jìn dàmén. Tā biàn le tā de yàngzi, suǒyǐ tā kàn shàngqù xiàng yìtiáo xiǎo yú. Tā kàn le kàn sìzhōu. Tā kàn dào móguǐ zuò zài yì zhāngdà yǐzi shàng. Tā de sìzhōu dōu shì tā de péngyǒu hé qīnqi. Tāmen zài shuōzhe chī Tángsēng de zuì hǎo fāngfǎ. Tāmen yīnggāi zhēng tā, shāokǎo tā, hōng péi tā, háishì bǎ tā hé shūcài chǎo zài yìqǐ?

Sūn Wùkōng zhīdào le tā de shīfu hái huózhe, hěn gāoxìng. Dàn tā zài nǎlǐ? Sūn Wùkōng yóu dào lìng yìtiáo xiǎo yú shēnbiān, wèn, "Péngyǒu, wǒ tīngshuō dàwáng zài tán zěnme zhǔ zuótiān zhuādào de Tángsēng. Wǒ yě xiǎng shì shì nàge héshang. Tā zài nǎlǐ?"

想说对不起，但我不知道你在哪里！"

"我是你耳中的虱子。现在我要变回我自己的样子。不要再有任何捉弄了！"

他们又走了一百里左右的路。他们来到了一座大房子前。房子上的一块牌子上写着，"<u>水海龟屋</u>。"<u>孙悟空</u>让<u>猪</u>和<u>沙</u>躲起来。他走进大门。他变了他的样子，所以他看上去像一条小<u>鱼</u>。他看了看四周。他看到魔鬼坐在一张大椅子上。他的四周都是他的朋友和亲戚。他们在说着吃<u>唐僧</u>的最好方法。他们应该蒸他、烧烤他、烘培[37]他、还是把他和蔬菜炒[38]在一起？

<u>孙悟空</u>知道了他的师父还活着，很高兴。但他在哪里？<u>孙悟空</u>游到另一条小鱼身边，问，"朋友，我听说大王在谈怎么煮昨天抓到的<u>唐僧</u>。我也想试试那个和尚。他在哪里？"

---

37 烘培   hōng péi – to bake
38 炒   chǎo – to stir fry

Xiǎo yú huídá shuō, "Tā zài gōngdiàn hòumiàn de yígè shí hézi lǐ. Dàwáng zhèng děngzhe kàn héshang de túdì shì búshì lái jiù tā. Rúguǒ tāmen dào míngtiān hái bù lái, wǒmen dàjiā dōu yào chī yìdiǎn héshang de ròu."

Sūn Wùkōng hé tā shuō le yìxiē huà, jiù yóu zǒu le, qù zhǎo nàge shí hézi. Tā zài gōngdiàn de hòumiàn zhǎodào le tā. Tā yóu dé gèng jìn yìdiǎn, tīng dào Tángsēng zài lǐmiàn kū, shuō:

Wǒ zhè cì shēngmìng lǐ yǒu hěnduō gēn héliú yǒu guānxì de máfan!
Wǒ chūshēng shí, wǒ māma bǎ wǒ fàng zài hé lǐ
Wǒ zài Hēi Hé yù dào hěn dà de máfan
Xiànzài wǒ kěnéng huì sǐ zài zhè bīnglěng de hézhōng
Wǒ bù zhīdào wǒ de túdì huì bú huì lái jiù wǒ
Huòzhě, zhè jiù huì shì wǒ shēngmìng de jiéshù.

Sūn Wùkōng zhǐshì xiàozhe shuō, "Shīfu, nǐ wèishénme yào shuō zhèxiē? Tǔdì shì suǒyǒu dōngxi de māma, dàn suǒyǒu dōngxi dōu shì cóng shuǐ lái de. Méiyǒu tǔdì jiù méiyǒu shēngmìng, dànshì méiyǒu shuǐ jiù méiyǒu shēngzhǎng."

小鱼回答说，"他在宫殿后面的一个石盒子里。大王正等着看和尚的徒弟是不是来救他。如果他们到明天还不来，我们大家都要吃一点和尚的肉。"

孙悟空和她说了一些话，就游走了，去找那个石盒子。他在宫殿的后面找到了它。他游得更近一点，听到唐僧在里面哭，说：

我这次生命里有很多跟河流有关系的麻烦！

我出生时，我妈妈把我放在河里

我在黑河遇到很大的麻烦

现在我可能会死在这冰冷的河中

我不知道我的徒弟会不会来救我

或者，这就会是我生命的结束。

孙悟空只是笑着说，"师父，你为什么要说这些？土地是所有东西的妈妈，但所有东西都是从水来的。没有土地就没有生命，但是没有水就没有生长。"

Tángsēng kūzhe shuō, "Ò túdì, jiù jiù wǒ ba!"

"Shìzhe fàngsōng yíxià. Wǒ huì jiějué zhège móguǐ de, ránhòu nǐ jiù kěyǐ líkāi zhèlǐ le."

Sūn Wùkōng líkāi le gōngdiàn, huíqù jiàn le Zhū hé Shā. Tā shuō, "Wǒmen de shīfu hái huózhe. Tā bèi guān zài yígè shí hézi lǐ. Móguǐ dǎsuàn míngtiān chī tā. Nǐmen liǎng gè bìxū kāishǐ hé móguǐ zhàndòu. Shìzhe yíng tā. Dànshì rúguǒ nǐ bùnéng yíng tā, shìzhe ràng tā cóng hé lǐ chūlái. Nà wǒ jiù kěyǐ dǎ yíng tā!" Ránhòu, tā yòng shǒu zuò le yígè bì shuǐ de shǒushì, yóu shàng hé àn biān děngzhe.

Zhū pǎo dào dàmén qián, hǎn dào, "È mó! Bǎ wǒ de shīfu sòng chūlái!" Xiǎo yú móguǐ tīng dào zhè, duì dàwáng shuō, dà mén qián yǒu yìtóu dà zhū.

Dàwáng shuō, "Nà yídìng shì héshang de yígè túdì. Kuài, bǎ wǒ de kuījiǎ ná lái!" Tā dài shàng le tā de jīn tóukuī hé kuījiǎ. Tā yìzhī shǒu názhe yígè dà tóng chuí. Lìng yì zhī shǒu lǐ, tā názhe yì zhī chí lǐ de shòu lǜ cǎo. Zǒuchū dà mén, qù jiàn

唐僧哭着说，"哦徒弟，救救我吧！"

"试着放松一下。我会解决这个魔鬼的，然后你就可以离开这里了。"

孙悟空离开了宫殿，回去见了猪和沙。他说，"我们的师父还活着。他被关在一个石盒子里。魔鬼打算明天吃他。你们两个必须开始和魔鬼战斗。试着赢他。但是如果你不能赢他，试着让他从河里出来。那我就可以打赢他！"然后，他用手做了一个避水的手势，游上河岸边等着。

猪跑到大门前，喊道，"恶魔！把我的师父送出来！"小鱼魔鬼听到这，对大王说，大门前有一头大猪。

大王说，"那一定是和尚的一个徒弟。快，把我的盔甲拿来！"他戴上了他的金头盔和盔甲。他一只手拿着一个大铜锤。另一只手里，他拿着一枝池里的瘦绿草。走出大门，去见

Zhū. Tā de shēngyīn xiàng xiàtiān de léi shēng. "Nǐ zhè chǒu zhū, nǐ cóng nǎlǐ lái, nǐ wèishénme zài zhèlǐ?"

Zhū jiàozhe huídá shuō, "Búyào wèn wèntí! Nǐ jiào nǐ zìjǐ Línggǎn Dàwáng, dàn nǐ zhǐshì yígè è mó. Nǐ hái jìdé ma, nǐ zuótiān xiǎng chī le wǒ! Nǐ bú rènshí wǒ ma? Wǒ shì Chén jiā de Yí Chèng Jīn."

Móguǐ huídá shuō, "Héshang, wǒ méiyǒu zuò cuò shénme. Wǒ méiyǒu chī nǐ. Dànshì nǐ dǎ le wǒ de shǒu, shānghài le wǒ. Nǐ fàn le fǎ. Nǐ biàn chéng lìng yígè rén de yàngzi. Zhèyàng, nǐ hái gǎn huílái zàicì zhǎo máfan?"

"Shì nǐ zàicì zhǎo máfan! Nǐ sòng lái lěngfēng, bīng hé xuě. Nǐ huà le bīng lái zhuā wǒ de shīfu. Xiànzài bǎ tā gěi wǒ. Rúguǒ nǐ shuō bàn gè 'bù' zì, nǐ jiù shì shì wǒ bàzi de wèidào!"

Móguǐ jǔ qǐ tā de tóng chuí, zá xiàng Zhū de tóu. Zhū yòng bàzi dǎngzhù le tā. Shā kàn dào zhàndòu kāishǐ le, jiù pǎo guòqù, kāishǐ yòng tā de guāizhàng dǎ móguǐ.

猪。他的声音像夏天的雷声。"你这丑猪，你从哪里来，你为什么在这里？"

猪叫着回答说，"不要问问题！你叫你自己灵感大王，但你只是一个恶魔。你还记得吗，你昨天想吃了我！你不认识我吗？我是陈家的一秤金。"

魔鬼回答说，"和尚，我没有做错什么。我没有吃你。但是你打了我的手，伤害了我。你犯了法。你变成另一个人的样子。这样，你还敢回来再次找麻烦？"

"是你再次找麻烦！你送来冷风，冰和雪。你化了冰来抓我的师父。现在把他给我。如果你说半个'不'字，你就试试我耙子的味道！"

魔鬼举起他的铜锤，砸向猪的头。猪用耙子挡[39]住了它。沙看到战斗开始了，就跑过去，开始用他的拐杖打魔鬼。

---

[39] 挡　　　dǎng – to block

Móguǐ shuō, "Nǐmen liǎng gè búshì zhēn de héshang. Zhū, nǐ yídìng shì ge nóngfū, suǒyǐ cái yòng bàzi zuò wǔqì." È mó zhuǎnxiàng Shā shuō, "Nǐ yídìng shì ge hōngpéi shīfù, suǒyǐ nǐ yòng gǎnmiànzhàng zuò wǔqì. Nǐmen búshì héshang, nǐmen búshì hěn hǎo de zhànshì!"

Sān gè rén zhège shíhòu dōu fēicháng shēngqì. Tāmen zài hé dǐ zhàndòu le liǎng gè duō xiǎoshí. Zhū duì Shā zhǎ yǎnjīng, liǎng rén jiù jiǎzhuāng shū le. Tāmen táo xiàng hémiàn. Móguǐ gēnzhe tāmen.

Sūn Wùkōng zuò zài hédōng àn, zhùyì kànzhe shuǐmiàn. Tūrán chūxiàn le dàlàng. Zhū hé Shā cóng hé lǐ chōng le chūlái, Zhū hǎnzhe, "Tā láile! Tā láile!" Ránhòu dàwáng chōng chū hémiàn, zhuīzhe tāmen.

Sūn Wùkōng hǎn dào, "Kàn wǒ de bàng!" Bǎ tā dǎ zài móguǐ de shēnshàng. Móguǐ dǎngzhù le bàng. Sì gè rén zhàndòu le yīhuǐ'er. Ránhòu móguǐ zhuǎnshēn huí dào shuǐzhōng. Tā huí dào le tā de gōngdiàn,

魔鬼说，"你们两个不是真的和尚。猪，你一定是个农夫，所以才用耙子做武器。"恶魔转向沙说，"你一定是个烘培师傅，所以你用擀面杖[40]做武器。你们不是和尚，你们不是很好的战士！"

三个人这个时候都非常生气。他们在河底战斗了两个多小时。猪对沙眨眼睛，两人就假装[41]输了。他们逃向河面。魔鬼跟着他们。

孙悟空坐在河东岸，注意看着水面。突然出现了大浪[42]。猪和沙从河里冲了出来，猪喊着，"他来了！他来了！"然后大王冲出河面，追着他们。

孙悟空喊道，"看我的棒！"把它打在魔鬼的身上。魔鬼挡住了棒。四个人战斗了一会儿。然后魔鬼转身回到水中。他回到了他的宫殿，

---

[40] 擀面杖　　gǎnmiànzhàng – rolling pin
[41] 假装　　　jiǎzhuāng – to pretend
[42] 浪　　　　làng – wave

bǎ fāshēng de shìqing gàosù le tā de péngyǒu hé tā de qīnqi.

Yú māma shuō, "Dàwáng, dì sān gè túdì zhǎng shénme yàngzi?"

Móguǐ huídá shuō, "Tā kàn qǐlái xiàng yì zhī hóuzi. Tā yǒu yì zhāng máo liǎn, duàn le de bízi hé zuànshí yíyàng de yǎnjīng. Shuō zhēn de, tā hěn chǒu."

Tā shuō, "Dàwáng, wǒ zhīdào zhè zhī hóuzi shì shuí. Hěnjiǔ yǐqián, wǒ zhù zài dà dōnghǎi. Wǒ tīng dào lǎo lóngwáng zài shuō tā de shì. Tā shì Měi Hóu Wáng, Qí Tiān Dà Shèng. Wǔbǎi nián qián, tā zài tiānshàng zhǎo le dà máfan, dàn xiànzài tā shì fójiào tú, shì Tángsēng de túdì. Tā gǎimíng wèi Sūn Wùkōng. Tā hěn qiángdà. Qǐng búyào shìzhe hé tā zhàndòu!"

"Hǎo de, xièxiè!" Móguǐ shuō. Tā zhuǎnshēn duì tā de xiǎo móguǐ shuō, "Háizimen, qù bǎ dàmén guānshàng. Zài dàmén de hòumiàn, zuò shí qiáng hé tǔ qiáng. Búyào ràng nàxiē túdì jìnlái, yī, liǎng tiānhòu tāmen děng lèi le, tāmen jiù huì líkāi. Nà wǒ

把发生的事情告诉了他的朋友和他的亲戚。

鱼妈妈说，"大王，第三个徒弟长什么样子？"

魔鬼回答说，"他看起来像一只猴子。他有一张毛脸，断[43]了的鼻子和钻石一样的眼睛。说真的，他很丑。"

她说，"大王，我知道这只猴子是谁。很久以前，我住在大东海。我听到老龙王在说他的事。他是美猴王，齐天大圣。五百年前，他在天上找了大麻烦，但现在他是佛教徒，是唐僧的徒弟。他改名为孙悟空。他很强大。请不要试着和他战斗！"

"好的，谢谢！"魔鬼说。他转身对他的小魔鬼说，"孩子们，去把大门关上。在大门的后面，做石墙和土墙。不要让那些徒弟进来，一、两天后他们等累了，他们就会离开。那我

---

[43] 断   duàn – broken, blocked

men jiù kěyǐ chī le Tángsēng, yòu kěyǐ hépíng de zhù xiàqù."

Zhū hé Shā dào le. Zhū yòng bàzi zá huài le dàmén, dàn tāmen méiyǒu bànfǎ chuānguò shí qiáng hé tǔ qiáng. Tāmen huí dào hédōng àn, hé Sūn Wùkōng tán zhè shì.

Tán le hěn cháng shíjiān hòu, Sūn Wùkōng gàosù tāmen, "Wǒ xiǎng bù chū yǒu shénme bànfǎ kěyǐ jìnrù nà zuò gōngdiàn, jiù wǒmen de shīfu. Nǐmen liǎng gè huíqù kànzhe móguǐ de gōngdiàn. Quèbǎo tā bú huì bǎ wǒmen de shīfu dài dào lìng yígè dìfāng. Wǒ yào qù Pǔtuóluòjiā Shān hé Guānyīn tán tán. Wǒ xiǎng zhīdào zhège móguǐ de míngzì, tā cóng nǎlǐ lái, wǒ zěnme cáinéng jiù wǒmen de shīfu."

Sūn Wùkōng yòng tā de jīndǒu yún hěn kuài fēi dào nánhǎi, ránhòu fēi dào le Pǔtuóluòjiā Shān. Dāng tā dào le nàlǐ, jǐ gè Guānyīn de túdì lái jiàn tā. Qízhōng yígè shì Shàncái Tóngzǐ. "Nǐ hǎo, wǒ de péngyǒu!" Sūn Wùkōng shuō. "Wǒ jìdé nǐ bèi jiào wèi Hóng Hái'ér de shíhòu, nǐ gěi wǒ hé wǒ de xiōngdìmen zhǎo le hěnduō má

们就可以吃了唐僧，又可以和平地住下去。"

猪和沙到了。猪用耙子砸坏了大门，但他们没有办法穿过石墙和土墙。他们回到河东岸，和孙悟空谈这事。

谈了很长时间后，孙悟空告诉他们，"我想不出有什么办法可以进入那座宫殿，救我们的师父。你们两个回去看着魔鬼的宫殿。确保他不会把我们的师父带到另一个地方。我要去普陀洛伽山和观音谈谈。我想知道这个魔鬼的名字，他从哪里来，我怎么才能救我们的师父。"

孙悟空用他的筋斗云很快飞到南海，然后飞到了普陀洛伽山。当他到了那里，几个观音的徒弟来见他。其中一个是善财童子。"你好，我的朋友！"孙悟空说。"我记得你被叫为红孩儿的时候，你给我和我的兄弟们找了很多麻

fán."

Shàncái Tóngzǐ huídá shuō, "Sūn dàshèng, xièxiè nǐ de
réncí. Púsà hǎoxīn liú wǒ, wǒ hěn gāoxìng wèi tā zuòshì."

Qízhōng yì míng túdì ràng Sūn Wùkōng děngzhe. "Púsà
xiànzài búzài. Tā zài zhúlín lǐ. Tā gàosù wǒmen nǐ yào lái.
Tā shuō nǐ yào děng tā huílái."

Sūn Wùkōng xiǎng děngzhe, dàn tā bùnéng děng xiàqù
le. Bù yīhuǐ'er, tā pǎo jìn le zhúlín. Tā kàn dào le Guānyīn.
Tā pántuǐ zuò zài yì kē dà shù xià de dìshàng. Tā
guāngzhe jiǎo, chuānzhe jiǎndān de yīfú. Tā jiào le tā,
"púsà, túdì Sūn Wùkōng qiújiàn nǐ!"

Guānyīn méiyǒu dòng, yě méiyǒu kàn tā. "Zài wàimiàn
děng." Tā shuō.

"Púsà, wǒ de shīfu xiànzài fēicháng de wéixiǎn. Wǒ shì
lái wèn nǐ guānyú Tōng Tiān Hé dǐ móguǐ de shìqing. Tā
zhuā le wǒ de shī

烦。[44]"

善财童子回答说，"孙大圣，谢谢你的仁慈。菩萨好心留我，我很高兴为她做事。"

其中一名徒弟让孙悟空等着。"菩萨现在不在。她在竹林里。她告诉我们你要来。她说你要等她回来。"

孙悟空想等着，但他不能等下去了。不一会儿，他跑进了竹林。他看到了观音。她盘腿坐在一棵大树下的地上。她光着脚[45]，穿着简单的衣服。他叫了她，"菩萨，徒弟孙悟空求见你！"

观音没有动，也没有看他。"在外面等。"她说。

"菩萨，我的师父现在非常的危险。我是来问你关于通天河底魔鬼的事情。他抓了我的师

---

[44] This story is told in Book 14, *The Cave of Fire*
[45] 光着脚   guāngzhe jiǎo – barefoot

fu."

"Líkāi zhúlín, děng wǒ." Tā yòu shuō. Sūn Wùkōng
méiyǒu xuǎnzé. Tā líkāi le zhúlín, děngzhe tā. Guò le
yīhuǐ'er, tā cóng zhúlín zhōng zǒu le chūlái. Tā háishì
guāngzhe jiǎo, chuānzhe jiǎndān de yīfú. Tā de shǒu lǐ
názhe yígè zǐsè de zhú lánzi. "Wùkōng, wǒ hé nǐ yìqǐ qù
jiù Tángsēng."

Sūn Wùkōng hé Guānyīn yìqǐ fēi dào le Tōng Tiān Hé.
Tāmen lái dào hédōng àn. Sūn Wùkōng jiào le Zhū hé
Shā, tāmen cóng hé lǐ chūlái. Kàn dào Guānyīn, tāmen
xiàng tā kòutóu.

Guānyīn qǔ xià dàizi, bǎng zài lánzi shàng. Ránhòu tā dào
le kōngzhōng, fēi dào héshàng. Tā bǎ lánzi fàng dào hé lǐ.
Tā shuō, "Sǐ rén líkāi, huó rén liú xià." Jǐ fēnzhōng hòu, tā
bǎ lánzi cóng hé lǐ lā le chūlái. Lánzi lǐ yǒu yìtiáo xiǎo
jīnyú.

"Wùkōng," tā jiào dào, "Xiàshuǐ qù zhǎo nǐ shīfu."

"Dàn wǒmen hái méiyǒu zhuā zhù móguǐ," tā huídá
shuō.

父。"

"离开竹林，等我。"她又说。<u>孙悟空</u>没有选择。他离开了竹林，等着她。过了一会儿，她从竹林中走了出来。她还是光着脚，穿着简单的衣服。她的手里拿着一个紫色的竹<u>篮子</u>[46]。

"<u>悟空</u>，我和你一起去救<u>唐僧</u>。"

<u>孙悟空</u>和<u>观音</u>一起飞到了<u>通天</u>河。他们来到河东岸。<u>孙悟空</u>叫了<u>猪</u>和<u>沙</u>，他们从河里出来。看到<u>观音</u>，他们向她叩头。

<u>观音</u>取下带子，绑在篮子上。然后她到了空中，飞到河上。她把篮子放到河里。她说，"死人离开，活人留下。"几分钟后，她把篮子从河里拉了出来。篮子里有一条小金鱼。

"<u>悟空</u>，"她叫道，"下水去找你师父。"

"但我们还没有抓住魔鬼，"他回答说。

---

[46] 篮子　　　　lánzi – basket

"Móguǐ zài lánzi lǐ. Wǒ huì gàosù nǐ tā de gùshì. Yǐqián, tā shì zhù zài wǒjiā fùjìn chí lǐ de yìtiáo jīnyú. Měitiān tā dōuhuì lái dào chí de shuǐmiàn tīng wǒ jiǎngkè. Tā cóng wǒ de jiǎngkè zhōng xuéhuì le Dào, yǒu le qiángdà de mólì. Jiǔ nián qián, wǒ cóng jiālǐ chūlái, dàn tā búzài chí lǐ. Wǒ zhīdào zhǎngcháo bǎ tā cóng wǒ de chí lǐ dài dào le zhè tiáo hé lǐ. Tā zài zhèlǐ biàn chéng le yígè è mó. Nà tóng chuí qíshí shì yì duǒ liánhuā de huābāo, tā bǎ tā zuò chéng le yí jiàn wǔqì."

Sān gè túdì xiàng tā jūgōng. Sūn Wùkōng wèn tā yào búyào děng yīhuǐ'er, ràng cūnlǐ de rén chūlái jiàn tā. Tā tóngyì le. Zhū hé Shā pǎo jìn cūnzi lǐ, hǎn dào, "Nǐmen suǒyǒu de rén dōu lái jiàn Guānyīn púsà!" Cūnlǐ de rén, niánqīng de hé lǎo de dōu chūlái le. Tāmen dōu guì xià, xiàng Guānyīn kòutóu. Yǒu yígè rén huà le Guānyīn názhe lánzi de huàxiàng. Suǒyǐ zhè jiùshì wèishénme jīntiān nǐ hái néng kàn dào Guānyīn ná zhú lánzi de huàxiàng.

Zhū hé Shā tiào jìn hé lǐ, hěn kuài de xiàng Hǎiguǐ Wū zǒu qù. Suǒ

"魔鬼在篮子里。我会告诉你他的故事。以前，他是住在我家附近池里的一条金鱼。每天他都会来到池的水面听我讲课。他从我的讲课中学会了道，有了强大的魔力。九年前，我从家里出来，但他不在池里。我知道涨潮[47]把他从我的池里带到了这条河里。他在这里变成了一个恶魔。那铜锤其实是一朵莲花的花苞[48]，他把它做成了一件武器。"

三个徒弟向她鞠躬。孙悟空问她要不要等一会儿，让村里的人出来见她。她同意了。猪和沙跑进村子里，喊道，"你们所有的人都来见观音菩萨！"村里的人，年轻的和老的都出来了。他们都跪下，向观音叩头。有一个人画了观音拿着篮子的画像。所以这就是为什么今天你还能看到观音拿竹篮子的画像。

猪和沙跳进河里，很快的向海龟屋走去。所

---

[47] 涨潮　　　zhǎngcháo – high tide
[48] 花苞　　　huābāo – bud

yǒu de xiǎo móguǐ dōu sǐ le. Tāmen zhǎodào le lǐmiàn fàngzhe Tángsēng de shí hézi. Tāmen dǎkāi le hézi. Tāmen bǎ tā lā le chūlái, bǎ tā cóng hé lǐ dài chūlái, huí dào hé àn. Chén Chéng hé Chén Qīng zhèng děngzhe jiàn tā. Chéng shuō, "Shèngfù, nǐ yīnggāi tīng wǒmen de!"

Tángsēng xiàozhe shuō, "Búyòng zàishuō zhège le. Nǐmen de wèntí yǐjīng jiějué le. Búyòng zài gěi dàwáng jì pǐn le, bú huì zài yǒu háizi bèi móguǐ chī le. Xiànzài, nǐmen néng bùnéng bāng wǒmen zhǎo yìtiáo chuán, wǒmen jiù kěyǐ guò zhè tiáo hé, jìxù wǒmen de lǚtú?"

Chén jiā xiōngdì hái méi shuōhuà, yígè hěn dà de shēngyīn cóng hézhōng chuán lái. "Wǒ dài nǐmen guò hé!" Měi gè rén dōu fēicháng hàipà. Ránhòu yígè hěn dà de shēngwù cóng hé lǐ pá dào hé àn shàng. Nà shì yì zhǐ fēicháng dà de lǎo wūguī.

Sūn Wùkōng jǔ qǐ tā de bàng, shuō, "Búyào zǒu jìn! Wǒ huì yòng wǒ de bàng shā le nǐ!"

Wūguī mànman kāikǒu, xiǎoshēng shuō, "Wǒ hěn gǎnxiè nǐmen. Hǎi

有的小魔鬼都死了。他们找到了里面放着唐僧的石盒子。他们打开了盒子。他们把他拉了出来，把他从河里带出来，回到河岸。陈澄和陈清正等着见他。澄说，"圣父，你应该听我们的！"

唐僧笑着说，"不用再说这个了。你们的问题已经解决了。不用再给大王祭品了，不会再有孩子被魔鬼吃了。现在，你们能不能帮我们找一条船，我们就可以过这条河，继续我们的旅途？"

陈家兄弟还没说话，一个很大的声音从河中传来。"我带你们过河！"每个人都非常害怕。然后一个很大的生物从河里爬到河岸上。那是一只非常大的老乌龟。

孙悟空举起他的棒，说，"不要走近！我会用我的棒杀了你！"

乌龟慢慢开口，小声说，"我很感谢你们。海

Guī Wū yǐqián shì wǒ de jiā. Wǒ hé wǒ de qīnqi zhù zài nàlǐ. Ránhòu jiǔ nián qián, lái le yígè èmó. Tā shā le wǒ hěnduō qīnqi. Tā bǎ qítā de rén biàn chéng le púrén. Wǒ méiyǒu bànfǎ hé tā zhàndòu, suǒyǐ wǒ zhǐ néng líkāi wǒ de jiā. Xiànzài nǐmen lái le. Nǐmen jiù le nǐmen de shīfu, nǐmen yě jiù le wǒ de jiā hé zhège cūnzi. Qǐng ràng wǒ wèi nǐmen zuò zhè jiàn xiǎoshì!"

Sūn Wùkōng fàng huí le tā de bàng, shuō, "Nǐ shuō de shì zhēn de?"

Wūguī shuō, "Rúguǒ wǒ méiyǒu shuō zhēn huà, jiù ràng shàngtiān bǎ wǒ de shēntǐ biàn chéng xuě!"

Sūn Wùkōng diǎn le diǎn tóu. "Hǎo ba. Nàme, guòlái." Lǎo wūguī yóu dào hé àn biān, pá shàng le àn. Sūn Wùkōng dàizhe báimǎ lái dào wūguī bèi shàng. Tángsēng zhàn zài zuǒbiān. Shā zhàn zài yòubiān. Zhū zhàn zài hòumiàn. Sūn Wùkōng zhàn zài qiánmiàn. Tā méiyǒu wánquán xiāngxìn wūguī, suǒyǐ tā bǎ hǔ pí dàizi tào zài wūguī de bózi shàng, xiàng mǎ jiāngshéng yíyàng. Tā yì zhī shǒu názhe dài zi, lìng yì

龟屋以前是我的家。我和我的亲戚住在那里。然后九年前，来了一个恶魔。他杀了我很多亲戚。他把其他的人变成了仆人。我没有办法和他战斗，所以我只能离开我的家。现在你们来了。你们救了你们的师父，你们也救了我的家和这个村子。请让我为你们做这件小事！"

孙悟空放回了他的棒，说，"你说的是真的？"

乌龟说，"如果我没有说真话，就让上天把我的身体变成血！"

孙悟空点了点头。"好吧。那么，过来。"老乌龟游到河岸边，爬上了岸。孙悟空带着白马来到乌龟背上。唐僧站在左边。沙站在右边。猪站在后面。孙悟空站在前面。他没有完全[49]相信乌龟，所以他把虎皮带子套在乌龟的脖子上，像马缰绳[50]一样。他一只手拿着带子，另一

---

[49] 完全　　　wánquán - completely
[50] 缰绳　　　jiāngshéng – reins

zhī shǒu názhe Jīn Gū Bàng. "Wūguī, xiǎoxīn diǎn. Yígè cuò de xíngdòng, wǒ jiù huì yòng wǒ de bàng dǎ nǐ de tóu!"

"Wǒ bù gǎn! Wǒ bù gǎn!" Wūguī shuō. Tā kāishǐ hěn kuài yóuzhe guò hé. Sì gè xíngrén hé yì pǐ báimǎ qí zài tā de bèi shàng. Zài yìtiān de shíjiān lǐ, tā yóuguò le yìtiáo bābǎi lǐ kuān de hé. Tāmen dào le hé xī àn.

"Xièxiè nǐ." Tángsēng shuō. "Wǒ xiànzài méiyǒu shénme dōngxi kěyǐ gěi nǐ. Dànshì děng wǒmen cóng xītiān huílái hòu, wǒ huì gěi nǐ yí fèn lǐwù."

"Wǒ bù xūyào lǐwù," wūguī shuō. "Dàn nǐ kěyǐ wèi wǒ zuò diǎn shì. Wǒ xuéxí Dào yǒu yìqiān sānbǎi nián le. Wǒ huó le hěn cháng shíjiān, dàn wǒ hái méiyǒu xuéhuì zěnme gǎibiàn wǒ zìjǐ de yàngzi. Dāng nǐ jiàn dào púsà shí, qǐng wèn tā, wǒ zěnyàng cáinéng gǎibiàn wǒ de yàngzi, chéngwéi rén de yàngzi."

"Wǒ yídìng wèn," Tángsēng huídá.

Wūguī zhuǎnshēn zài shuǐzhōng bújiàn le. Sūn Wùkōng bāng Tángsēng shàngmǎ. Zhū ná qǐ xínglǐ. Tāmen zhǎodào le dàlù, yòu kāishǐ xiàng xī zǒu

只手拿着金箍棒。"乌龟，小心点。一个错的行动，我就会用我的棒打你的头！"

"我不敢！我不敢！"乌龟说。他开始很快游着过河。四个行人和一匹白马骑在他的背上。在一天的时间里，他游过了一条八百里宽的河。他们到了河西岸。

"谢谢你。"唐僧说。"我现在没有什么东西可以给你。但是等我们从西天回来后，我会给你一份礼物。"

"我不需要礼物，"乌龟说。"但你可以为我做点事。我学习道有一千三百年了。我活了很长时间，但我还没有学会怎么改变我自己的样子。当你见到菩萨时，请问他，我怎样才能改变我的样子，成为人的样子。"

"我一定问，"唐僧回答。

乌龟转身在水中不见了。孙悟空帮唐僧上马。猪拿起行李。他们找到了大路，又开始向西走

qù. Zhè zhēnshi,

Shèng sēng zhǎo fó shū

Jīnglì xǔduō nián xǔduō nàn

Tā xīn qiángdà, búpà sǐ

Tā qí shàng guī bèi guò tiān hé.

去。这真是，

圣僧找佛书

经历许多年许多难

他心强大，不怕死

他骑上龟背过天河。

The Great Demon King

*** Chapter 47 ***

My dear child, last night I told you a story about the four travelers – the holy monk Tangseng, the monkey king Sun Wukong, the pig-man Zhu Bajie, and the strong but quiet Sha Wujing. They saved the people of Slow Cart Kingdom. When they were finished, the king of Slow Cart Kingdom gave them a banquet and thanked them.

The next morning they continued their journey to the west. They drank when they were thirsty, they ate when they were hungry, they rested when they were tired. Spring became summer, summer became fall. One day in early fall as the cool wind blew through the trees, Tangseng spoke to his disciples. He said, "It is getting late. Where can we find a place to sleep tonight?"

Sun Wukong replied, "Master, long ago we left our families. We do not have comfortable beds, we do not have wives to keep us warm at night, we do not have children to make us happy. We live under the sun, the moon and the stars. If there is a road, we travel. If the road ends, we stop."

"Easy for you to say!" said the pig-man Zhu Bajie. "All day I carry your heavy baggage. I am tired, I am hungry, my feet hurt, and I want to stop right now!"

"The moon is bright tonight. Let's walk a little further," said Sun Wukong. The others did not argue with him, they just walked behind him.

The road ended at a large river. They could not see the far side. Sun Wukong used his cloud somersault to jump up into the air.

He used his diamond eyes, but he could not see the river's far side. "This river is very wide," he said. "I can see a thousand miles in daytime and five hundred miles at night, but I cannot see the far side of this river. I don't know how we can get to the far side."

Tangseng did not say a word, but he started to cry quietly.

"Don't cry, Master," said Sha. "I see a man over there, standing near the water. Maybe he can help us." Sun Wukong walked over to take a look. When he got close, he saw that it was not a man, it was a tall stone pillar. Three large words were on the stone: "Heaven Reaching River." Below that were smaller words:

> Eight hundred miles wide,
> Very few have ever crossed it

The four travelers read the words but said nothing. Sun Wukong, Zhu and Sha could fly across the river with no trouble, but Tangseng had no magical powers and could not fly. How could they all cross the river?

Then they heard the sound of music coming from a mile or so up the river. "That music does not sound like Daoist music," said Tangseng. "It might be Buddhist. I will go and talk with them. I will beg some vegetarian food and a place for us to sleep. You wait here. You are all quite ugly and I don't want to frighten these people."

Tangseng rode his white horse along the riverbank. He arrived at a large temple. Candles burned in every window, and more candles burned inside. He took off his hat and waited just outside the front door. After a few minutes, an old man came out.

Tangseng bowed and said, "Grandfather, this poor monk salutes you."

The man said, "You are too late. If you arrived earlier, you would have gotten some rice, some cloth, and a few pennies. Now you will get nothing. Go away." He turned to go back inside the temple.

Tangseng said quickly, "Grandfather, please wait a minute. We have been sent by the Tang Emperor to journey to the western heaven. We seek the Buddha's holy books to bring back to the Tang Empire. It is getting late in the day, and we just seek a place to stay tonight. We will leave in the morning."

"Monk, a man who has left his family should not lie. The Tang Empire is fifty four thousand miles to the east. Traveling alone, you could not get here."

"That is true. I have three disciples with me. They are very good at fighting monsters, demons and tigers. But they are a bit ugly. I didn't bring them here because I didn't want to frighten you."

"You cannot frighten me tonight," said the old man. "Bring them in." Tangseng did not understand this, but he called the three disciples. Sun Wukong, Zhu and Sha ran into the temple laughing and shouting. They brought the horse and the luggage with them. The old man fell to the ground, shouting, "Monsters are here! Monsters are here!"

"Don't be afraid, Grandfather," said Tangseng, "they won't hurt you." Then he turned to the three disciples and shouted at them, "Why are you so rude? I have told you every day to act like Buddhist monks, but you act like wild animals instead!"

The old man heard this. He looked at Sun Wukong, Zhu and

Sha and saw that they did not reply at all. Then he understood that the three really were the monk's disciples, not monsters. He called his servants to bring food for the four travelers. The servants were very frightened. They brought the food, then they ran out of the room as fast as they could.

The old man introduced himself as Chen Cheng. He and the four travelers sat down to eat dinner. Then a door opened and another old man entered the room. He used a cane to walk. He said to them, "What kind of demons are you? Why do you come to our home in the middle of the night and frighten all of our servants?"

Chen Cheng said to the travelers, "My friends, this is my elder brother, Chen Qing." He turned to his brother and said, "Elder Brother, please don't worry. This monk has come from the Tang Empire. He is traveling to the west with his three disciples." The second man nodded his head. He called for servants to bring out some low tables. Tangseng was given the seat of honor in the middle of the room. On one side, three tables were given to Sun Wukong, Zhu and Sha. On the other side two tables were given to the two old men. Servants brought out fruit, vegetables, rice, noodles, and buns. One of the servants took the horse outside and gave him some grass to eat.

After the food was put down, Tangseng lifted his chopsticks and started to recite the Fast Breaking Sutra. But before he finished, Zhu picked up a large bowl of rice and poured all of it into his mouth. A servant ran over and filled the bowl again. Tangseng continued to recite the sutra, and Zhu ate another bowl of rice. And another. And another. He finished six bowls of rice before Tangseng finished reciting the sutra.

After dinner, Tangseng asked, "Honored grandfather, please

tell me, what was this feast that you were having when we arrived? I did not recognize the music." Cheng replied, "It is a preparatory mass for the dead."

Zhu laughed so hard that rice came out of his mouth. "Grandfather, we know when someone is lying. There is no such thing as a preparatory mass for the dead. Sometimes there is a mass for the dead, but that is after they die. We don't see any dead people here!"

Cheng replied, "Tell me, travelers. When you arrived at the river, what did you see?"

"We saw a stone pillar with words on it," said Sun Wukong. "We could not walk any further because of the river. So we turned and came to your temple."

"If you had walked a mile in the other direction, you would have come to the temple of the Great King of Bright Power."

"We did not see that. Tell us, who is this Great King of Bright Power?"

"This great king sends blessings to all people far and near. He sends sweet rains every month, and auspicious clouds from year to year." Then he started to cry.

"That does not sound bad," said Sun Wukong. "Why are you crying?"

"There is a cost for these blessings. The Great King loves to eat young boys and girls, plus cows and pigs and chickens of course. Every year he selects a family. The family must give him one boy and one girl. The Great King eats them."

"And so, this year your family must give young children to the

Great King?" asked Sun Wukong.

"Yes, this year it is my family. I am an old man. For many years I never had a child. I gave all my money to the village to repair their roads and bridges. In all, I gave them thirty catties of gold. Thirty catties is one cart-load. So when my daughter was finally born eight years ago, I called her One Load of Gold."

"And what about the young boy?"

Chen Qing spoke up. He said, "The two of us are brothers. Since my brother does not have a son, the Great King wants to eat my son. His name is Guanbao. Together, my brother and I have lived for one hundred and twenty years. We have only these two children. And soon they will be dead because of the Great King!" He began to cry. "We cannot say no to the Great King, but it is hard for us to give up our precious children."

Tangseng also started to cry, saying "Ah, heaven is so cruel to a childless man!"

But Sun Wukong just said, "Old man, how wealthy are you?"

Qing replied, "Quite wealthy. My brother and I together have a very large farm. We have many horses, hogs, sheep, chickens and geese. We also have gold and silver. Why do you ask?"

"If you have so much money, why not just buy a boy and a girl? I hear that you can buy both for a hundred and fifty taels of silver."

"That would not work. The Great King comes to visit us often. We do not see him, but we can feel the cold wind when he comes through. He knows every person in the village. He knows my son, and he knows my brother's daughter. We could not buy a boy and a girl with the same age and appearance."

Sun Wukong nodded his head. "I understand. I have an idea. Please bring out your son." The old man called out, and Guanbao came into the room. He was a happy young boy, dancing and laughing. Sun Wukong shook himself, and instantly he looked exactly like Guanbao. Now there were two happy young boys in the room. Both of them were dancing and laughing.

The old man's mouth fell open. He could not believe what he was seeing. Sun Wukong shook himself and changed back to his true form. He said, "Do you think I could be the sacrifice?"

"If you look like that, yes of course!" said Qing. "If you can save my son I will give a thousand taels of silver to the Tang Monk to thank him and help him on his journey to the west."

"Why won't you thank me?" asked Sun Wukong.

"The Great King will eat you. You will be dead. How can I thank you if you are dead?"

"Leave that up to me."

Qing was very happy. But his brother Cheng cried. Sun Wukong understood why. "Grandfather, don't cry. I know that you do not want your daughter eaten by this Great King. We can stop that. Please give a lot of rice, vegetables and noodles for my pig friend. Let him eat as much as he wants. Then I will ask him to change into the form of your daughter. We will save your two children, and we will gain merit in heaven!"

Zhu heard this. "Oh no, Elder Brother, don't get me involved in this. You can do whatever you want, but I do not want to be dinner for the Great King!"

"Younger Brother, why do you say that? When we arrived at

this house, the two brothers gave us food and drink. Now we must pay. What's wrong with that?"

"I do not want to pay with my life!" cried Zhu.

Tangseng said, "Wuneng, your elder brother speaks the truth. The ancient ones say, 'the saving of a life is better than building a seven storied pagoda.' You can repay these monks for feeding you, and you can gain merit in heaven. You and Sun Wukong should do this. It will be fun."

"Fun?" cried Zhu. "This is not fun. And I don't know how to change into a little girl. A horse, yes. A mountain, yes. But a little girl? No."

"Grandfather," said Sun Wukong to Cheng, "please bring out your daughter." Cheng called out, and One Load of Gold came into the room. Sun Wukong said to Zhu, "Okay, my friend. It's time. Change!"

Zhu was not happy, but he spoke some magic words and shook his head several times. His head changed to look like One Load of Gold, but his body did not change, it was still the body of a fat pig-man.

"Change more!" laughed Sun Wukong.

"I cannot!" cried Zhu.

"Okay, I will help you," said Sun Wukong. He blew a magic breath towards Zhu. Instantly Zhu's body changed to look just like One Load of Gold.

Then Sun Wukong said to the Chen brothers, "Please take your children inside so there will be no confusion about who is who. Tell them to be very quiet and not come out until this is finished." Then he changed into the form of Guanbao. He said to the Chen brothers, "How will you deliver us to the Great King?"

Cheng said, "I will show you." He called for four servants to bring out two large red laquered trays. He told Sun Wukong and Zhu to sit on the trays. He told the servants to pick up the trays and put them on two tables. Then he told them to carry the tables to the temple of Great King Bright Power.

As they were being carried to the temple, Sun Wukong said to Zhu, "Stay on the tray. Don't move, don't talk. Wait until the Great King grabs me. Then run out of the temple as fast as you can."

Zhu replied, "But what if he grabs me first?"

Cheng was walking beside them. He said, "A few years ago, some people from the village hid behind the temple to watch the Great King. He ate the boy first, and then the girl. So I think it will happen like that again. Probably."

Just then, a group of villagers met them on the road, carrying torches and banging on gongs. "Bring the boy to the temple! Bring the girl to the temple!" they shouted. The four servants carried the tables into the Great King's temple.

*** Chapter 48 ***

When they arrived at the Great King's temple, they saw a large stone. On the stone in gold letters were the words "Great King Bright Power." On the temple floor were offerings of dead hogs and sheep. The villagers placed the boy and girl on top of the offerings. They lit many candles and burned incense. Then they all sang,

"Great Father King, we come to you today
We do this every year on the same day
Chen Cheng gives you his daughter, One Load of Gold
Chen Qing gives you his son, Chen Guanbao
We also bring you hogs and sheep for your enjoyment
Please bring us rain and wind to make the land green
And bring us a rich harvest of the five grains."

Then they burned paper money and paper horses and returned to their homes.

Sun Wukong and Zhu waited for a few minutes. Then Zhu said, "Let's go home now, ok?"

Sun Wukong said, "You fool, stop talking like that. If we leave early, the Great King will do terrible things to the village. We agreed to help the village, and so we must help them until the end. We must wait for the Great King to come and eat us."

Just then, they heard a they heard a very loud wind outside. "Oh dear," said Zhu. The temple door opened, and there stood the Great King of Bright Power. He was very large and very tall. He wore a gold helmet, a red robe, and he had a gold sword at his belt and large brown boots. His eyes were like bright stars, his teeth were like steel swords. Gray mist surrounded him. When he walked into the temple, a cold wind followed him.

He saw the two young children. In a voice like thunder, he shouted, "Which family gives the sacrifice this year?"

Sun Wukong laughed and said, "Good question! This year the Chen brothers give you the sacrifices."

The Great King was a little bit confused by this. He thought, "This is strange. Usually the children are frightened out of their minds and cannot answer any questions. How can this boy speak so easily? I must be careful here!" He said, "And what are your names, little ones?"

"I am called Chen Guanbao," said Sun Wukong, "The girl is called One Load of Gold."

"This sacrifice is an annual custom. You have been offered to me. So I will eat you."

"Go ahead!"

The Great King's confusion turned to anger. "Don't talk to me like that! In past years I always ate the little boy first. But this year I will change the custom. I will eat the little girl first."

"Oh, no!" cried Zhu, "please don't change the custom! Follow the old ways!"

The Great King reached out his hand to grab Zhu. Zhu jumped down onto the floor, changed back into his true form, and brought his rake down hard on the Great King's head. The Great King staggered. Two small fish scales fell to the floor. Sun Wukong also jumped down to the floor and changed back to his true form. He tried to hit the Great King with his rod. The Great King had thought he was coming to a feast, so he only had the gold sword on his belt. That sword was not strong enough to fight Sun Wukong and Zhu.

The Great King flew up to the sky as fast as he could. Sun Wukong and Zhu chased him. Standing on the edge of a cloud he shouted, "You two, where did you come from? How dare you come here, steal my dinner, and give me a bad name?"

Sun Wukong shouted back, "We are disciples of the Tang Monk. He was sent by his Emperor to journey to the western

117

heaven to obtain holy scriptures. Last night we stayed with the Chen family. They told us about the demon who calls himself the Great King and eats young children. We decided to save lives and arrest you. Now you must tell us everything. How many children have you killed and eaten? If you tell us everything, we might let you live."

The demon heard these words and was afraid. He turned into a gust of wind that blew across the Heaven Reaching River. "He probably lives in the river," said Sun Wukong. "Let's wait until tomorrow. We can catch him and ask him to take Master across the river." Then the two disciples picked up the hogs, sheep, tables and trays. They carried all of it back to the Chen house and dropped all of it in the courtyard. They told Tangseng and the Chen brothers everything that happened at the Great King's temple.

Meanwhile, the demon changed back to his true form and went to his palace at the bottom of Heaven Reaching River. He sat in his chair for a long time, not saying a word. His friends and relatives were worried about him. One of them said, "Great King, usually you are happy when you return from the sacrifice. This year you are very quiet. What happened?"

"I had some very bad luck," he replied. "There were two disciples of a holy monk who is traveling to the western heaven to get the Buddha's books. One of them changed into a little boy, the other changed into a little girl. They nearly killed me!"

He continued, "I have heard of this Tang monk. They say that he has studied the Way for ten lifetimes. They say that to eat even a little bit of his flesh will give a person long life. That sounds like a good idea. But ah, these disciples! They are very dangerous. I would like to eat the Tang monk, but I dare not go near those disciples."

A large fish-mother bowed to him and said, "Great King, it is not difficult to catch the Tang monk. I can help you. But if I help you, how will you help me?"

The demon replied, "If you can show me how to capture the Tang monk, I will become your bond brother. We will sit down together and eat his flesh."

"Thank you! Great King, I know that you can bring the wind and rain, and you can stir up the rivers and oceans. But can you bring ice and snow?"

"Of course, that is easy for me."

"Well then, you can capture the Tank monk. Tonight, you must bring cold weather and heavy snow. The Heaven Reaching River will turn to ice. Then, you must change us into human form. We will walk across the river from east to west. We will carry umbrellas and we will push carts. The Tang monk will see us. He will think we are traders, and that it is safe to cross the river. Wait until the monk and his disciples are halfway across the river, then melt the ice under their feet. They will fall into the river. You will have them. Easy!"

"Wonderful!" shouted the demon. He flew up to the clouds and began to bring cold weather and heavy snow. The river quickly turned to ice.

Inside the Chan home, the four travelers were asleep. The weather turned cold and they woke up shivering. "I am so cold," shivered Zhu.

"Idiot," replied Sun Wukong, "you need to grow up. We have left the family. We should not be bothered by heat or cold. How can you be afraid of the cold?" But when they walked outside the Chan house, they saw that the trees were covered with ice. Snow was falling from the sky like threads of silk and chips of jade. Wind blew the snow into huge snowdrifts. Far away they could see the river covered with ice.

Old man Cheng came into the room with some servants to light a fire. Tangseng asked him, "Grandfather, tell me, do you have four seasons here – spring, summer, fall and winter?"

"Of course," he replied, "we live under the same sun as everyone else."

"Then tell me, why do we have ice-cold weather and heavy snow in early fall?"

"Perhaps our kingdom is colder than yours. We often have a little snow in early fall. But don't worry, we have plenty of food and firewood. You will be quite comfortable staying here."

"Grandfather, many years ago I left my home to begin this journey. The Tang Emperor himself drank a cup of wine with me and became my bond brother. He asked me how long my journey would last. I told him three years. But it has already been eight or nine years and I have not even come close to the western heaven yet. Now we must wait because of this cold weather. I do not know if we will be able to cross the Heaven Reaching River."

Cheng laughed. "Please, holy father, just relax and enjoy the beautiful weather!"

The next day, the weather was even colder. There was a fire burning in Cheng's house but the travelers could see their breath like white clouds in the air. They put on heavy coats but they were still cold. "I have never seen cold weather like this," said Zhu. "I think the river must be covered with thick ice by now."

Tangseng looked at him for a minute. Then he said to Cheng, "Grandfather, thank you for taking care of us these past few days. Now the river is covered with thick ice. It is time for us to walk across the river to continue our journey to the west."

"Please wait," replied Cheng. "In a few days the ice will melt. Then I can use my boat to take you across the river."

"Thank you but we cannot wait. If you can, please give us three more horses, one for each of my disciples. The four of us will ride our horses across the river."

Cheng was not happy about this, but he agreed. His servants brought out three horses. The four travelers got on their horses and looked at the ice-covered river. "What are those people?" asked Tangseng, pointing to a group of people walking across the river.

"I think they are traders. Many traders go to the Western Kingdom of Women on the far side of the river. Things that sell for a penny on this side of the river sell for a hundred pennies on the other side. And things sold for a penny on the other side sell for a hundred pennies here. So of course, there is much profit to be made. The traders love profit, so they will cross the river even if it is dangerous."

Tangseng thought about this. "Truly, men are slaves to fame and profit. Many would give up their lives for fame and profit. But here I am, giving up my life for my Emperor. Perhaps I am also looking for fame. Perhaps I am no different from those traders." He turned to Sun Wukong. "Elder disciple, get the horses ready. We will leave now."

"Wait!" shouted Zhu. He ran out onto the ice a hundred feet. He lifted his nine-pronged rake and brought it down hard onto the ice. The rake bounced off the ice. Zhu's hands were hurt, but the ice was not broken. "Okay," he shouted, "it's safe to walk on the ice."

The four travelers began to slowly ride their horses on the ice. Immediately Tangseng's horse slipped and almost fell down. Zhu told them to wait. Then he ran back to Cheng's house and got a large bundle of straw. He ran back to Tangseng and the others. They wrapped the horses' hooves with straw. This stopped the horses from slipping on the ice.

They rode for three or four miles. Zhu said to Tanseng, "Master, please take my rake. Hold it sideways as we ride."

"Why? I don't need your rake," replied Tangseng.

"Master, you don't know this, but ice sometimes has holes. If your horse steps in a hole, you and the horse will both fall through the ice and you will drown in the cold water. This rake will stop you from falling through the ice. The horse will drown, of course, but you will not die."

So Tangseng held the rake crosswise. Sun Wukong saw this and held his rod crosswise. Sha Monk held his staff the same way. Zhu did not have his rake, but he held the luggage pole crosswise as he rode.

Night came but the four travelers dared not stop. They continued to ride under the light of the moon and the stars. They ate a little bit of cold food. They rode all night and into the next day.

While the four travelers were riding their horses on top of the ice, the demon waited in his palace below the ice. He heard the sound of horses hoofs on the ice. He used his magic power to melt the ice underneath the travelers. The ice broke. Sun

Wukong jumped into the air, but the other three travelers and all four horses fell into the water. Zhu and Sha and the white horse swam to the surface and climbed onto the ice. "Where is Master?" shouted Sun Wukong.

Under the water, the demon grabbed Tangseng and carried him down to his palace under the water. "Fish Mother, come quickly!" he shouted. "Your idea was very good. We have the Tang monk. Let's cook him and eat him!"

"Great King, thank you," replied the fish mother, "but please wait a bit. The monk's disciples are probably very angry right now. You should watch out for them, because you will need to fight them if they arrive. Let's save the Tang monk and eat him in a day or two, when the trouble is finished. We will have singing and dancing, and a great feast!"

The three disciples rose into the air and flew back to the village while the horse ran as fast as the wind. They all arrived at the Chan house. "Where is your master?" asked Chan Cheng.

Zhu replied, "His family name is now 'Sink' and his given name is 'To The Bottom.'"

"How sad!" cried Cheng. "We told him that we could take him in a boat, but he could not wait. Now he is dead."

"I don't think our master is dead yet," said Sun Wukong. "That demon, the Great King of Bright Power, did this. Grandfather, please give us some dry clothes, wash these wet clothes, dry our travel rescript, and feed our white horse. We need to go back and deal with this demon. We will save our master, and we will also kill this evil demon. Your village will be able to live in peace!"

The Chen brothers were happy to hear this. They gave the

three disciples a good hot meal and dry clothing. After they finished eating, the three disciples picked up their weapons and went back to the river to search for their master and capture the demon.

*** Chapter 49 ***

They arrived at the place where Tangseng fell into the water. Sun Wukong did not want to go into the water. He said to Zhu and Sha, "You two are much better in the water than I am. If this demon were in a mountain cave, it would be no problem, but I can't do business well in the water. I need to make a water-repelling sign with my hand. That means that I only have one hand to use my Golden Hoop Rod."

Sha said that he could carry Sun Wukong until they got to the demon's home. But Zhu said that he was stronger and he wanted to carry Sun Wukong on his back. "All right," said Sun Wukong. But he had a feeling that Zhu planned to play a trick on him.

Sha used magic to open a path to the bottom of the river. The three brothers jumped down towards the bottom. Sun Wukong thought that Zhu was getting ready to play a trick on him. So he pulled a hair from his head and made a copy of himself. He put the copy on Zhu's back, and he changed his form into a louse and crawled into Zhu's ear.

A few minutes later, Zhu stumbled and fell, sending the copy of Sun Wukong flying to the ground in front of him. The copy changed back into a hair and floated away in the water. "Now you did it," said Sha. "Elder Brother has floated away. How can we fight the demon without him?"

"Don't worry," said Zhu, "we don't need that monkey. The

two of us can fight the demon with no problem."

"No, I won't go any further. Elder Brother is very strong and very fast, and a very good fighter. We need him. I will not go without him."

Sun Wukong could not keep quiet any more. He shouted in Zhu's ear, "I AM RIGHT HERE!" Zhu was so frightened, he fell to his knees and kowtowed in every direction.

"Elder Brother, I am so sorry!" he cried. "Where are you? I want to say I am sorry but I don't know where you are!"

"I am a louse right here in your ear. Now I will change back to my true form. Don't play any more tricks!"

They traveled for another hundred miles or so. They arrived at a large building. A sign on the building read, "Sea Turtle House." Sun Wukong told Zhu and Sha to hide. He walked through the gate. He changed his form so he was a small fish. He looked around. He saw the demon sitting in a big chair. All around him were his friends and relatives. They were talking about the best way to eat Tangseng. Should they steam him, roast him, bake him, or stir-fry him with vegetables?

Sun Wukong was happy to learn that his master was still alive. But where was he? Sun Wukong swam up to another small fish and asked, "Friend, I hear the Great King talking about how to cook the Tang monk that he captured yesterday. I would like to taste that monk. Where is he?"

The small fish replied, "He is in a stone box at the rear of the palace. The Great King is waiting to see if the monk's disciples come to save him. If they don't come by tomorrow, we will all eat a little bit of the monk."

Sun Wukong chatted with her a bit more, then he swam off to find the stone box. He found it in the rear of the palace. He swam closer and heard Tangseng crying inside, saying

> I have had many river troubles in this life!
> When I was born my mother put me in the river.
> I had great problems at Black River
> And now I may die in this icy cold river
> I don't know if my disciples will save me
> Or if this will be the end of my life.

Sun Wukong just laughed and said, "Master, why are you saying these things? Earth is the mother of everything, but everything comes from water. Without earth there is no life, but without water there is no growth."

Tangseng cried, "Oh disciple, please save me!"

"Try to relax. I will take care of this demon, then you can leave this place."

Sun Wukong left the palace and met Zhu and Sha. He said, "Our master is still alive. He is imprisoned in a stone box. The demon is planning to eat him tomorrow. You two must start a fight with the demon. Try to defeat him. But if you cannot defeat him, try to get him to come out of the river. Then I can defeat him!" Then he made a water-repelling sign with his hand and went up to wait on the riverbank.

Zhu ran up to the gate, shouting, "Evil demon! Send my master out!" The little fish-demons heard this and reported to the Great King that a large pig was at the front gate.

The Great King said, "That must be one of the monk's disciples. Quick, get my armor!" He put on his golden helmet and armor. In one hand he held a large bronze mallet. In the other hand he held a thin green pond weed. He walked out of the gate to meet Zhu. His voice was like summer thunder. "You ugly pig, where do you come from, and why are you here?"

Zhu shouted back, "Don't ask questions! You call yourself Great King of Bright Power but you are really just an evil demon. Do you remember, you tried to eat me yesterday! Don't you recognize me? I am One Load of Gold from the Chen family."

The demon replied, "Monk, I did nothing wrong. I did not eat you. But you hit my hand and injured me. And you have committed a crime. You took the form of another person. After all that you dare to come back to cause trouble again?"

"It is you who caused trouble again! You sent cold wind, ice and snow. And you melted the ice to capture my master. Now give him to me. If you give me even half a 'no' you will taste my rake!"

The demon raised his bronze mallet and brought it down on Zhu's head. Zhu blocked it with his rake. Sha saw that the fight was starting, so he ran over and began to hit the demon with his staff.

The demon said, "You two are not real monks. Pig, you must have been a farmer, that is why you are using a rake as a weapon." The demon turned to Sha and said, "And you must have been a baker, that is why you are using a rolling pin as a weapon. You are not monks and you are not very good fighters!"

All three were now very angry. They fought at the bottom of the river for over two hours. Zhu winked at Sha, and the two of them pretended to be defeated. They ran away towards the surface of the river. The demon followed them.

Sun Wukong was sitting on the eastern shore of the river, watching the water carefully. Suddenly huge waves appeared. Zhu and Sha came bursting out of the river, with Zhu shouting, "He's coming! He's coming!" Then the Great King burst out of the river, chasing them.

Sun Wukong shouted, "Watch my rod!" and smashed it down on the demon. The demon blocked the rod. The four of them fought for a short time. Then the demon turned and dove back into the water. He returned to his palace and told his friends and relatives what happened.

The fish-mother said, "Great King, what did this third disciple look like?"

The demon replied, "He looks like a monkey. He has a hairy face, a broken nose, and diamond eyes. To tell the truth, he is generally quite ugly."

She said, "Great King, I know who this monkey is. A long time ago I lived in the Great Eastern Ocean. I heard the old Dragon King talking about him. He is the Handsome Monkey King, the Great Sage Equal to Heaven. Five hundred years ago he caused great trouble in heaven, but now he is a Buddhist, a disciple of the Tang Monk. He changed his name to Sun Wukong. He has great powers. Please do not try to fight with him!"

"Ok, thanks!" said the demon. He turned to his little demons and said, "Little ones, go and shut the gates. Behind the gates build a wall of rocks and mud. Don't let those disciples in. After a day or two they will get tired of waiting and they will go away. Then we can eat the Tang monk and live in peace again."

Zhu and Sha arrived. Zhu smashed the gate with his rake, but they could not get through the wall of rocks and mud. They returned to the river's eastern shore to discuss the matter with Sun Wukong.

After a long discussion, Sun Wukong told them, "I don't see any way to get inside that palace to rescue our master. You two go back and watch the demon's palace. Make sure he does not try to move our master to another location. I will go to Potalaka Mountain to talk with Guanyin. I want to learn the demon's name, where he came from, and how I can save our master."

Sun Wukong used his cloud somersault to fly quickly to the South Sea and then to Potalaka Mountain. When he arrived, he was met by several of Guanyin's disciples. One of them was Child Sudhana. "Hello my friend!" said Sun Wukong. "I remember when you were called Red Boy and caused so much trouble for me and my brothers."

Sudhana replied, "Great Sage Sun, thank you for your kindness. The Bodhisattva was kind and took me in, and I am happy to serve her."

One of the disciples told Sun Wukong to wait. "The Bodhisattva is not here right now. She is in the bamboo grove. She told us that you were coming. She said that you must wait for her to return."

Sun Wukong tried to wait, but he could not. After a short time he ran into the bamboo grove. He saw Guanyin. She was sitting on the ground under a large tree with her legs crossed. She was barefoot and wore simple clothing. He called to her,

"Bodhisattva, your disciple Sun Wukong begs to speak with you!"

Guanyin did not move or look at him. "Wait outside," she said.

"Bodhisattva, my master is in terrible danger. I came to ask you about the demon at the bottom of the Heaven Reaching River. He has captured my master."

"Leave the bamboo grove and wait for me," she said again. Sun Wukong had no choice. He left the bamboo grove and waited for her. After a while, she came out of the bamboo grove. She was still barefoot and wearing simple clothes. In her hand was a purple bamboo basket. "Wukong, I will go with you to rescue the Tang monk."

Sun Wukong and Guanyin flew together to the Heaven Reaching River. They came down on the eastern riverbank. Sun Wukong called Zhu and Sha, and they came out of the river. Seeing Guanyin, they kowtowed to her.

Guanyin removed her sash and tied it to the basket. Then she rose into the air and flew over the river. She lowered the basket into the river. She said, "The dead leave, the living stay. The dead leave, the living stay." After a few minutes she pulled the basket out of the river. There was a small goldfish in the basket.

"Wukong," she cried, "go into the water and get your master."

"But we have not captured the demon yet," he replied.

"The demon is here in the basket. I will tell you his story. Once he was a goldfish living in a pond near my home. Every day he came to the surface of the pond to listen to my lectures. He learned the Way from my lectures, and he developed great magical powers. Nine years ago, I came out of my house but he was not in the pond. I realized that a high tide had carried him out of my pond and into this river. He became an evil demon here. That bronze mallet is really a lotus bud that he made into a weapon."

The three disciples bowed to her. Sun Wukong asked if she would wait for a little while so the villagers could come out and see her. She agreed. Zhu and Sha ran into the village, shouting, "Come all of you, see the Bodhisattva Guanyin!" Every person in the village, young and old, came out. They all knelt down and kowtowed to Guanyin. One of them painted a picture of Guanyin holding the basket. That is why even today you will see pictures of Guanyin holding a bamboo basket.

Zhu and Sha jumped into the river and went quickly to Sea Turtle House. All the little demons were dead. They found the stone box with Tangseng inside. They opened the box. They pulled him out and brought him out of the river and back to the riverbank. Chen Cheng and Chen Qing were waiting to meet him. Cheng said, "Father, you should have listened to us!"

Tangseng smiled and said, "No need to discuss that anymore. Your problems are finished. No more sacrifices to the Great King, no more children eaten by the demon. Now, can you please find a boat for us, so we may cross this river and continue on our journey?"

Before the Chen brothers could say anything, a loud voice came from the river. "I will take you across the river!" Everyone was very frightened. Then a large creature crawled out of the river onto the riverbank. It was a huge old turtle.

Sun Wukong lifted his rod, saying, "Don't come any closer! I will kill you with my rod!"

The turtle spoke slowly, in a low voice, "I am grateful to all of you. The Sea Turtle House used to be my home. I lived there with my relatives. Then nine years ago an evil demon arrived. He killed many of my relatives. He turned the rest into servants. I could not fight him so I had to leave my home. Now you have come. You saved your master, but you also saved my home and this village. Please let me do this small thing for you!"

Sun Wukong put away his rod, but he said, "Are you really telling us the truth?"

The turtle replied, "If I am not telling the truth, may heaven change my body into blood!"

Sun Wukong nodded. "All right, then. Come here." The old turtle swam to the riverbank and climbed up on the shore. Sun Wukong led the white horse onto the turtle's back. Tangseng stood on the left side. Sha stood on the right. Zhu stood in the back. Sun Wukong stood in front. He did not completely trust the turtle, so he wrapped his tiger-skin sash around the turtle's neck so it was like the rein of a horse. He held the sash in one hand and his golden hoop rod in the other. "Turtle, be very careful. One wrong move and I will hit your head with my rod!"

"I dare not! I dare not!" said the turtle. He began to swim rapidly across the river. The four travelers and the white horse rode on his back. In one day he crossed the entire eight hundred miles of the river. They arrived on the western riverbank.

"Thank you," said Tangseng. "I have nothing to give you now.

But when we return from the western heaven, I will have a gift for you."

"I need no gift," said the turtle. "But you can do something for me. I have studied the Way for thirteen hundred years. I have lived a long time, but I have not learned how to lose my original form. When you meet the Buddha, please ask him how I can lose my original form and be reborn in human form."

"I promise to ask," replied Tangseng.

The turtle turned and disappeared in the water. Sun Wukong helped Tangseng to mount his horse. Zhu picked up the luggage. They found the main road and began walking again towards the West. Truly,

> The holy monk seeks the Buddha's books
> Through many years and many difficulties
> His mind is strong, not afraid of death
> He crossed Heaven's River on a turtle's back.

Proper Nouns

These are all the Chinese proper nouns used in this book.

Chinese	Pinyin	English
车迟王国	Chē Chí Wángguó	Slow Cart Kingdom
陈澄	Chén Chéng	Chen Cheng, a name
陈清	Chén Qīng	Chen Qing, a name
关保	Guānbǎo	Guanbao, a name
观音	Guānyīn	Guanyin, a Bodhisattva
黑河	Hēi Hé	Black River
金箍棒	Jīn Gū Bàng	Golden Hoop Rod
灵感大王	Línggǎn Dàwáng	Great King of Bright Power
美猴王	Měi Hóu Wáng	Handsome Monkey King, a title for Sun Wukong
普陀洛伽山	Pǔtuóluòjiā Shān	Potalaka Mountain
齐天大圣	Qí Tiān Dà Shèng	Great Sage Equal to Heaven, a title for Sun Wukong
启斋经	Qǐ Zhāi Jīng	Fast Breaking Sutra
沙吴静	Shā Wújìng	Sha Wujing, a name, "Sand Seeking Purity"
善财 (童子)	Shàncái (Tóngzǐ)	Sudhana, a disciple of Guanyin
水海龟屋	Shuǐ Hǎiguī Wū	Sea Turtle House
孙悟空	Sūn Wùkōng	Sun Wukong, a name, "Ape Seeking the Void"
唐	Táng	Tang, a kingdom
唐皇帝	Táng Huángdì	Tang Emperor
唐僧	Tángsēng	Tangseng, a name, "Tang Monk"
通天河	Tōng Tiān Hé	Heaven Reaching River
悟空	Wùkōng	a familiar name for Sun Wukong
西梁女国	Xīliáng Nǚguó	Western Kingdom of Women
一秤金	Yī Chèng Jīn	One Load of Gold, a name
猪八杰	Zhū Bājié	Zhu Bajie, a name, "Pig of Eight Prohibitions"
猪悟能	Zhū Wùnéng	Zhu Wuneng, another name for Zhu Bajie

Glossary

These are all the Chinese words (other than proper nouns) used in this book.

We use as our starting vocabulary the 1200 words of HSK4, plus all words introduced in previous books in this series, for a total working vocabulary of about 1800 words. However, the three stories in this book only use a total of about 860 of those words. This includes some compound words such as 不错 (bùcuò, not bad) that are made up of other words in the vocabulary.

Chinese	Pinyin	English
啊	a	ah, oh, what
爱	ài	love
矮	ǎi	short
岸	àn	shore
安静	ānjìng	quietly
安全	ānquán	safety
吧	ba	(indicates assumption or suggestion)
拔	bá	to pull
把	bǎ	to put
八	bā	eight
爸爸	bàba	father
白	bái	white
百	bǎi	hundred
白天	báitiān	day
半	bàn	half
搬	bān	to move
办法	bànfǎ	method
棒	bàng	rod

绑	bǎng	to tie
帮 (助)	bāng (zhù)	to help
半夜	bànyè	midnight
宝贝	bǎobèi	baby
报答	bàodá	to repay
包围	bāowéi	to encircle
包子	bāozi	steamed bun
耙子	bàzi	rake
背	bèi	back
被	bèi	(passive particle)
背	bēi	to carry on back
杯 (子)	bēi (zi)	cup
笨	bèn	stupid
本来	běnlái	originally
比	bǐ	compared to, than
避 (开)	bì (kāi)	to avoid
变	biàn	to change
边	biān	side
变成	biàn chéng	to become
变为	biàn wèi	becomes
变化	biànhuà	change
别	bié	do not
冰	bīng	ice
冰冷	bīnglěng	icy cold
必须	bìxū	have to
鼻子	bízi	nose
脖子	bózi	neck
不	bù	no, not, do not
布	bù	cloth
不一会	bù yī huǐ	soon

不错	bùcuò	not bad
不过	bùguò	but
不见了	bùjiànle	gone
才	cái	only
才能	cáinéng	can only, ability, talent
参加	cānjiā	to participate
残忍	cánrěn	cruel
草	cǎo	grass
层	céng	floor
叉	chā	prong, fork
常	cháng	often
长	cháng	long
唱 (歌)	chàng (gē)	to sing
炒	chǎo	to stir fry
车	chē	cart
沉	chén	to sink
成	chéng	become
秤	chèng	scales
成为	chéngwéi	to become
池	chí	pond
尺	chǐ	(measure word for length)
吃	chī	to eat
冲	chōng	to rush
丑	chǒu	ugly
出	chū	out
传	chuán	to pass on, to transmit
船	chuán	ferry, boat
穿	chuān	to wear
床	chuáng	bed
窗户	chuānghù	window

穿过	chuānguò	to pass through
锤	chuí	hammer
吹	chuī	blow
春 (天)	chūn (tiān)	spring
出生	chūshēng	born
出现	chūxiàn	to appear
次	cì	(measure word)
次	cì	next in a sequence
从	cóng	from
粗鲁	cūlǔ	rude
村 (庄)	cūn (zhuāng)	village
村子	cūnzi	village
错	cuò	wrong
大	dà	big
打	dǎ	to hit, to play
打开	dǎ kāi	to turn on, to open
大地	dàdì	earth
大海	dàhǎi	sea
带	dài	to bring
戴	dài	to wear
代价	dàijià	cost
带子	dàizi	tape
大家	dàjiā	everyone
但	dàn	but
当	dāng	when
挡(住)	dǎng (zhù)	to block
当然	dāngrán	of course
但是	dànshì	but
担心	dānxīn	worry
到	dào	to

倒	dào	upside down
道	dào	path, way, Dao
倒(下)	dǎo (xià)	to fall down
道教	dàojiào	way, path, Daoism
打算	dǎsuàn	to intend
大王	dàwáng	king
得	de	(particle showing degree or possibility)
地	de	(adverbial particle)
的	de	of
得(到)	dé (dào)	to get
等	děng	to wait
第	dì	(prefix before a number)
底	dǐ	bottom
点	diǎn	point
点头	diǎntóu	to nod
掉	diào	drop
掉下	diào xià	to fall off
弟弟	dìdì	younger brother
地方	dìfāng	local
帝国	dìguó	empire
地上	dìshàng	on the ground
丢	diū	to throw
动	dòng	to move, to touch
洞	dòng	hole
东	dōng	east
冬(天)	dōng(tiān)	winter
动物	dòngwù	animal
东西	dōngxi	thing
都	dōu	all
读	dú	to read

断	duàn	broken
对	duì	correct
对不起	duìbùqǐ	I am sorry
顿	dùn	(measure word for non-repeating actions)
朵	duǒ	(measure word for flowers and clouds)
躲	duǒ	to hide
多	duō	many
多久	duōjiǔ	how long
多么	duōme	how
鹅	é	goose
饿	è	hungry
恶魔	è mó	demon
耳 (朵)	ěr (duo)	ear
而且	érqiě	and
二十	èrshí	twenty
儿子	érzi	son
法	fǎ	law
发抖	fādǒu	trembling
犯	fàn	to commit
饭	fàn	cooked rice
翻动	fāndòng	to flip
放	fàng	to put, to let out
方法	fāngfǎ	method
房间	fángjiān	room
放弃	fàngqì	to give up
放松	fàngsōng	to relax
放下	fàngxià	to lay down
方向	fāngxiàng	direction
房子	fángzi	house

发生	fāshēng	occur
法事	fǎshì	memorial service
飞	fēi	fly
非常	fēicháng	very much
飞快	fēikuài	fast
份	fèn	(measure word)
风	fēng	wind
丰收	fēngshōu	bumper harvest
佛	fó	Buddha
佛教	fójiào	Buddhism
佛教徒	fójiào tú	Buddhist
父	fù	father
附近	fùjìn	nearby
盖	gài	to cover
改(变)	gǎi(biàn)	to change
改名	gǎimíng	renamed
敢	gǎn	to dare
甘	gān	sweet
杆	gān	rod
干	gān	dry
感 (到)	gǎn (dào)	to feel
钢	gāng	steel
感觉	gǎnjué	to feel
擀面杖	gǎnmiànzhàng	rolling pin
感谢	gǎnxiè	to thank
高	gāo	high
告诉	gàosù	to tell
高兴	gāoxìng	happy
个	gè	(measure word, generic)
哥哥	gēge	older brother

给	gěi	to give
根	gēn	(measure word)
跟(着)	gēn(zhe)	to follow
更	gèng	more
功德	gōngdé	merit
宫殿	gōngdiàn	palace
谷	gǔ	grains
股	gǔ	(measure word)
古人	gǔ rén	the ancients
拐杖	guǎizhàng	crutch
关	guān	to turn off
光着	guāngzhe	bare
关上	guānshàng	to close
关于	guānyú	about
跪	guì	to kneel
鬼	guǐ	ghost
龟	guī	turtle
国	guó	country
过	guò	to pass
过来	guòlái	to come
过去	guòqù	go over
国王	guówáng	king
过夜	guòyè	stay overnight
故事	gùshì	story
还	hái	also
海	hǎi	sea
还有	hái yǒu	and also
海龟	hǎiguī	sea turtle
害怕	hàipà	scared
还是	háishì	still is

孩子	háizi	child
喊	hǎn	to call
好	hǎo	good
好多	hǎoduō	many
好玩	hǎowán	fun
好心	hǎoxīn	kind
和	hé	with
河	hé	river
喝	hē	to drink
河岸	hé àn	river bank
河流	héliú	river
很	hěn	very
横	héng	horizontal
和平	hépíng	peace
和尚	héshang	monk
盒子	hézi	box
红 (色)	hóng (sè)	red
烘培	hōng péi	to bake
后	hòu	rear
厚	hòu	thick
猴 (子)	hóu (zi)	monkey
虎	hǔ	tiger
滑	huá	slip
化	huà	to melt
画	huà	painting
话	huà	word, speak
花苞	huābāo	bud
还	huán	give it back
皇帝	huángdì	emperor
荒野	huāngyě	wilderness

画像	huàxiàng	portrait
回	huí	to return
会	huì	will, to be able to
灰	huī	gray, dust
会不会	huì bù huì	will it
回答	huídá	to reply
活	huó	live
或	huò	or
火炬	huǒjù	torch
活着	huózhe	alive
或者	huòzhě	or
呼吸	hūxī	to breathe
极	jí	extremely
几	jǐ	a few
鸡	jī	chicken
祭品	jì pǐn	sacrifice
假	jiǎ	fake
加	jiā	plus
家	jiā	home
见	jiàn	to see
件	jiàn	(measure word for clothing, matters)
剑	jiàn	sword
简单	jiǎndān	simple
讲	jiǎng	to speak
讲课	jiǎngkè	lecture
缰绳	jiāngshéng	reins
叫	jiào	to call
脚	jiǎo	foot
教	jiāo	to teach
家庭	jiātíng	family

假装	jiǎzhuāng	to pretend
记得	jìdé	to remember
接近	jiējìn	close to
解决	jiějué	to solve, settle, resolve
介绍	jièshào	introduction
结束	jiéshù	the end
几乎	jīhū	almost
季节	jìjié	season
近	jìn	near
斤	jīn	cattie (measure of weight)
进(入)	jìn (rù)	to enter
金 (色)	jīn (sè)	golden
金箍棒	jīn gū bàng	golden hoop rod
筋斗云	jīndǒuyún	somersault
经常	jīngcháng	often
经历	jīnglì	experience
进来	jìnlái	to come in
进去	jìnqù	go in
金鱼	jīnyú	goldfish
金子	jīnzi	gold
祭祀	jìsì	sacrifice
救	jiù	to save, to rescue
就	jiù	just, right now
九	jiǔ	nine
久	jiǔ	long
酒	jiǔ	wine, liquor
就要	jiù yào	is going to
吉祥	jíxiáng	auspicious
继续	jìxù	to carry on
举(起)	jǔ (qǐ)	to lift

觉得	juédé	to feel
决定	juédìng	to decide
鞠躬	jūgōng	to bow
举行	jǔxíng	to hold
开	kāi	open
开始	kāishǐ	to begin
开心	kāixīn	happy
看	kàn	to look
看起来	kàn qǐlái	it looks like
看上去	kàn shàngqù	it looks like
看见	kànjiàn	see
渴	kě	thirst
棵	kē	(measure word for tree, plants)
可怜	kělián	pathetic
可能	kěnéng	may
可怕	kěpà	terrible
可是	kěshì	but
可以	kěyǐ	can
空中	kōngzhōng	in the air
口	kǒu	mouth
叩头	kòutóu	kowtow
哭	kū	to cry
快	kuài	fast
快乐	kuàilè	happy
快要	kuàiyào	about to
筷子	kuàizi	chopsticks
宽	kuān	width
盔甲	kuījiǎ	armor
捆	kǔn	bundle
困惑	kùnhuò	confused

拉	lā	to pull
来	lái	to come
浪	làng	wave
篮子	lánzi	basket
老	lǎo	old
老虎	lǎohǔ	tiger
蜡烛	làzhú	candle
了	le	(indicates completion)
累	lèi	tired
雷声	léi shēng	thunder
冷	lěng	cold
里	lǐ	in
脸	liǎn	face
凉	liáng	cool
亮	liàng	bright
两	liǎng	two
踉跄	liàngqiàng	staggering
莲花	liánhuā	lotus
离开	líkāi	to go away
另	lìng	another
留	liú	to stay
六	liù	six
礼物	lǐwù	gift
利益	lìyì	interest
龙	lóng	dragon
路	lù	road
绿	lǜ	green
锣	luó	gong
旅途	lǚtú	journey
吗	ma	(indicates a question)

骂	mà	curse
马	mǎ	horse
麻烦	máfan	trouble
卖	mài	to sell
买	mǎi	to buy
妈妈	māma	mom
满	mǎn	full
慢慢	màn man	slowly
满意	mǎnyì	satisfaction
毛	máo	hair
帽子	màozi	hat
马上	mǎshàng	immediately
没	méi	no
每	měi	each
美	měi	nice
没有	méiyǒu	no, not have
们	men	(indicates plural)
门	mén	door, gate
米	mǐ	rice
面	miàn	surface
面对	miàn duì	to face
面前	miànqián	in front
面条	miàntiáo	noodles
庙	miào	temple
米饭	mǐfàn	cooked rice
名	míng	name
明白	míngbái	to understand
明亮	míngliàng	bright
明天	míngtiān	tomorrow
名字	míngzì	first name

魔(法)	mó (fǎ)	magic
魔鬼	móguǐ	devil
魔力	mólì	magic
木头	mùtou	wood
拿	ná	to take
那	nà	that
哪	nǎ	where
那边	nà biān	there
拿来	ná lái	to bring it
拿起	ná qǐ	to pick up
那时	nà shí	at that time
那是	nà shì	that is
那里	nàlǐ	there
哪里	nǎlǐ	where
那么	nàme	then
男	nán	man
难	nán, nàn	difficult
男孩	nánhái	boy
那些	nàxiē	those
那样	nàyàng	that way
呢	ne	(indicates question)
能	néng	can
你	nǐ	you
你好	nǐ hǎo	hello there
年	nián	year
念	niàn	read
念经	niànjīng	chanting
年龄	niánlíng	age
年轻	niánqīng	young
您	nín	you (respectful)

牛	niú	cow
弄	nòng	to do
农夫	nóngfū	farmer
农田	nóngtián	farmland
女儿	nǚ'ér	daughter
女孩	nǚhái	girl
奴隶	núlì	slave
哦	ò	oh?, oh!
爬	pá	to climb
怕	pà	afraid
牌子	páizi	sign
胖	pàng	fat
盘腿	pántuǐ	cross-legged
盘子	pánzi	plate
跑	pǎo	to run
朋友	péngyǒu	friend
匹	pǐ	(measure word)
片	piàn	(measure word)
漂(走)	piào (zǒu)	to drift away
仆人	púrén	servant
菩萨	púsà	bodhisattva, buddha
骑	qí	to ride
气	qì	gas
七	qī	seven
漆	qī	lacquered
前	qián	before
钱	qián	money
千	qiān	thousand
墙	qiáng	wall
强(大)	qiáng (dà)	strong, powerful

桥	qiáo	bridge
敲	qiāo	to knock
奇怪	qíguài	strange
起来	qǐlái	(after verb, indicates start of an action)
亲爱的	qīn'ài de	dear
请	qǐng	please
轻轻	qīng qīng	lightly
亲戚	qīnqī	relative
其实	qíshí	in fact
其他	qítā	other
求	qiú	to beg
秋天	qiūtiān	autumn
其中	qízhōng	among them
妻子	qīzi	wife
去	qù	to go
取	qǔ	to take
确保	quèbǎo	to make sure
群	qún	(measure word)
让	ràng	to make, to let
然后	ránhòu	then
热	rè	heat
人	rén	people
仁慈	réncí	kindness
扔	rēng	to throw
任何	rènhé	any
人们	rénmen	people
认识	rènshí	understanding
认为	rènwéi	to think
容易	róngyì	easy
荣誉	róngyù	honor

肉	ròu	meat
入	rù	to enter
如果	rúguǒ	if
伞	sǎn	umbrella
三	sān	three
色	sè	(indicates color)
杀	shā	kill
山	shān	mountain
山洞	shāndòng	cave
上	shàng	up, above
伤害	shānghài	hurt
上面	shàngmiàn	above
上去	shàngqù	go up
上天	shàngtiān	god
烧	shāo	to burn
谁	shéi	who
身上	shēn shang	body
身边	shēnbiān	by your side
圣	shèng	saint
声	shēng	sound
圣父	shèng fù	holy father
圣僧	shèng sēng	holy monk
生活	shēnghuó	life
生火	shēnghuǒ	to make a fire
圣经	shèngjīng	holy scripture
生命	shēngmìng	life
生气	shēngqì	angry
生物	shēngwù	creature
生意	shēngyì	business
声音	shēngyīn	sound

生长	shēngzhǎng	grow
什么	shénme	what
什么样	shénme yàng	what kind
身体	shēntǐ	body
十	shí	ten
石	shí	stone
时	shí	time, moment, period
事	shì	thing
试	shì	to try
是	shì	yes
湿	shī	wet
时常	shí cháng	often
师父	shīfu	master
师傅	shīfù	master
时候	shíhòu	time, moment, period
时间	shíjiān	time, period
事情	shìqíng	thing
石头	shítou	stone
食物	shíwù	food
石柱	shízhù	stone pillar
虱子	shīzi	louse
瘦	shòu	thin
手	shǒu	hand
受到	shòudào	to suffer
受伤	shòushāng	injured
手势	shǒushì	gesture
手杖	shǒuzhàng	cane
树	shù	tree
书	shū	book
输	shū	to lose

双	shuāng	double
蔬菜	shūcài	vegetables
舒服	shūfú	comfortable
水	shuǐ	water
水果	shuǐguǒ	fruit
睡觉	shuìjiào	go to bed
睡着了	shuìzháole	asleep
树林	shùlín	forest
说	shuō	to say
说话	shuōhuà	to speak
说谎	shuōhuǎng	lie
四	sì	four
死	sǐ	dead
寺庙	sìmiào	temple
四周	sìzhōu	all around
送	sòng	to give away
送给	sòng gěi	to give to
碎	suì	broken
所以	suǒyǐ	so, therefore
所有	suǒyǒu	all
素食	sùshí	vegetarian food
塔	tǎ	tower
他	tā	he, him
它	tā	it
她	tā	she, her
抬	tái	to lift
太	tài	too
抬(起)	tái (qǐ)	to lift up
太阳	tàiyáng	sun
弹	tán	to bounce off

谈	tán	to talk
逃	táo	escape
套	tào	sleeve, sheath
蹄	tí	hoof
天	tiān	day
天哪	tiān nǎ	oh my goodness
天空	tiānkōng	sky
天气	tiānqì	the weather
天上	tiānshàng	heaven, on the sky
条	tiáo	(measure word for narrow, flexible things)
跳	tiào	to jump
跳舞	tiàowǔ	to dance
停	tíng	to stop
听	tīng	to listen
听起来	tīng qǐlái	sound
听说	tīng shuō	it is said that
听见	tīngjiàn	to hear
同	tóng	same
铜	tóng	copper
痛	tòng	pain
通关	tōngguān	clearance
同时	tóngshí	in the meantime
同意	tóngyì	to agree
头	tóu	head
偷	tōu	to steal
头发	tóufà	hair
头盔	tóukuī	helmet
土	tǔ	earth
吐	tǔ	to spit out

徒弟	túdì	apprentice
土地	tǔdì	land
推	tuī	to push
突然	tūrán	suddenly
外	wài	outer
外衣	wàiyī	coat
完	wán	finish
万	wàn	ten thousand
晚	wǎn	late, night
碗	wǎn	bowl
晚饭	wǎnfàn	dinner
王	wáng	king
往	wǎng	to
王国	wángguó	kingdom
完全	wánquán	complete
晚上	wǎnshàng	at night
为	wèi	for
位	wèi	(measure word)
喂	wèi	feed
伟大	wěidà	great
味道	wèidào	to taste
为什么	wèishénme	why
危险	wéixiǎn	danger
问	wèn	to ask
问好	wènhǎo	to say hello
温暖	wēnnuǎn	warm
文书	wénshū	document
问题	wèntí	problem, question
握	wò	grip
我	wǒ	I, me

雾	wù	fog
五	wǔ	five
屋(子)	wū(zi)	room
乌龟	wūguī	tortoise
武器	wǔqì	arms
洗	xǐ	wash
西	xī	west
下	xià	under
吓	xià	scare
下(去)	xià(qù)	go down
线	xiàn	thread
先	xiān	first
向	xiàng	to
像	xiàng	to like
想	xiǎng	to want, to miss, to think of
香	xiāng	fragrant, incense
想要	xiǎng yào	to want to
享受	xiǎngshòu	to enjoy
相同	xiāngtóng	the same
相信	xiāngxìn	to believe, to trust
现在	xiànzài	right now
笑	xiào	laugh
小	xiǎo	small
小声	xiǎoshēng	whisper
小时	xiǎoshí	hour
小事	xiǎoshì	trifle
小心	xiǎoxīn	be careful
夏天	xiàtiān	summer
写	xiě	to write
谢谢	xièxiè	thank you

习惯	xíguàn	habit
喜欢	xǐhuān	to like
心	xīn	heart
行	xíng	walk
姓	xìng	name
星	xīng	star
醒 (来)	xǐng (lái)	to wake up
行动	xíngdòng	action
星光	xīngguāng	starlight
行李	xínglǐ	baggage
行人	xíngrén	pedestrian
行走	xíngzǒu	to walk
兄弟	xiōngdì	brother
习俗	xísú	custom
西天	xītiān	western heaven
修	xiū	repair
休息	xiūxí	to rest
希望	xīwàng	hope
选(择)	xuǎn (zé)	select
许多	xǔduō	a lot of
雪	xuě	snow
血	xuě	blood
雪堆	xuěduī	snow drift
学会	xuéhuì	learn
学习	xuéxí	learn
靴子	xuēzi	boots
需要	xūyào	to need
牙	yá	tooth
沿	yán	along
淹死	yān sǐ	to drown

羊	yáng	goat or sheep
样子	yàngzi	to look like, appearance
宴会	yànhuì	banquet
眼睛	yǎnjīng	eye
摇	yáo	to shake
要	yào	to want
腰	yāo	waist
妖怪	yāoguài	monster
也	yě	and also
夜晚	yèwǎn	night
爷爷	yéye	grandfather
一	yī	one
衣	yī	clothes
一点点	yì diǎndiǎn	a little bit
一般	yìbān	generally
一般来说	yìbān lái shuō	generally speaking
一定	yídìng	for sure
衣服	yīfú	clothes
一共	yígòng	altogether
一会儿	yīhuǐ'er	a while
已经	yǐjīng	already
句	yījù	(measure word for sentence)
块	yīkuài	(measure word)
银	yín	silver
赢	yíng	to win
应该	yīnggāi	should
影响	yǐngxiǎng	influences
因为	yīnwèi	because
音乐	yīnyuè	music
一起	yìqǐ	together

以前	yǐqián	before
一切	yíqiè	all
以为	yǐwéi	to believe
一下	yíxià	a bit
一些	yìxiē	some
一样	yíyàng	same
一阵	yīzhèn	(measure word for short-duration events)
一直	yìzhí	always, continuously
椅子	yǐzi	chair
用	yòng	to use
游	yóu	tour
又	yòu	also
右	yòu	right
有	yǒu	have
有的时候	yǒu de shíhòu	sometimes
有钱	yǒu qián	rich
有点	yǒudiǎn	a bit
有名	yǒumíng	famous
游人	yóurén	tourist
有时	yǒushí	sometimes
鱼	yú	fish
玉	yù	jade
雨	yǔ	rain
语	yǔ	language
遇到	yù dào	encounter, meet
远	yuǎn	far
远处	yuǎn chù	far side
远近	yuǎnjìn	far and near
院子	yuànzi	courtyard

月	yuè	month
越	yuè	more
月光	yuèguāng	moonlight
月亮	yuèliàng	moon
遇见	yùjiàn	meet
鱼鳞	yúlín	fish scales
云	yún	clouds
运气	yùnqì	luck
预先	yùxiān	in advance
砸	zá	to smash
再	zài	again
在	zài	in
造	zào	make
早	zǎo	early
早上	zǎoshang	morning
怎么	zěnme	how
怎样	zěnyàng	how
眨	zhǎ	to wink
摘	zhāi xià	to pick
站	zhàn	to stand
战斗	zhàndòu	fighting
长	zhǎng	grow
张	zhāng	(measure word for pages, flat objects)
章	zhāng	chapter
长大	zhǎng dà	to grow up
涨潮	zhǎngcháo	high tide
战士	zhànshì	warrior
照	zhào	according to
找	zhǎo	to find
找麻烦	zhǎo máfan	to make trouble

找到	zhǎodào	found
照顾	zhàogù	to take care of
着	zhe	with, -ing
这	zhè	this
这时	zhè shí	at this moment
这么	zhème	such
真	zhēn	true
正	zhèng	correct, just
蒸	zhēng	steam
争论	zhēnglùn	debate
这些	zhèxiē	these ones
这样	zhèyàng	such
只	zhǐ	only
纸	zhǐ	paper
指	zhǐ	to point
之	zhī	of
枝	zhī	branch
只	zhī	(measure word for animals)
直到	zhídào	until
知道	zhīdào	to know
之前	zhīqián	prior to
只是	zhǐshì	just
只要	zhǐyào	as long as
重	zhòng	heavy
种	zhǒng	(measure word for kinds)
中	zhōng	in, middle
中间	zhōngjiān	intermediate
终于	zhōngyú	at last
竹	zhú	bamboo
住	zhù	to live

煮	zhǔ	to cook
猪	zhū	pig
抓 (住)	zhuā (zhù)	to arrest, to grab
转身	zhuǎnshēn	turn around
转向	zhuǎnxiàng	turn to
祝福	zhùfú	blessing
追	zhuī	to chase
准备	zhǔnbèi	ready
桌	zhuō	table
捉弄	zhuōnòng	to tease
注意	zhùyì	note
主意	zhǔyì	idea
字	zì	written character
自己	zìjǐ	oneself
紫色	zǐsè	purple
棕	zōng	brown
走	zǒu	to go
走进	zǒu jìn	walk in
走近	zǒu jìn	approach
走路	zǒulù	walk
钻石	zuànshí	diamond
足够	zúgòu	enough
最	zuì	most
嘴	zuǐ	mouth
最好	zuì hǎo	the best
最后	zuìhòu	at last
尊敬	zūnjìng	respect
坐	zuò	to sit
座	zuò	(measure word for mountains, temples, big houses, ...)

做	zuò	do
左	zuǒ	left
做事	zuòshì	work
昨天	zuótiān	yesterday
左右	zuǒyòu	about
阻止	zǔzhǐ	to prevent

About the Authors

Jeff Pepper (author) is President and CEO of Imagin8 Press, and has written dozens of books about Chinese language and culture. Over his thirty-five year career he has founded and led several successful computer software firms, including one that became a publicly traded company. He's authored two software related books and was awarded three U.S. patents.

Dr. Xiao Hui Wang (translator) has an M.S. in Information Science, an M.D. in Medicine, a Ph.D. in Neurobiology and Neuroscience, and 25 years experience in academic and clinical research. She has taught Chinese for over 10 years and has extensive experience in translating Chinese to English and English to Chinese.

Printed in Great Britain
by Amazon